哲学 100 の基本

THE BASICS OF
PHILOSOPHY

岡本裕一朗
Yuichiro Okamoto

東洋経済新報社

はじめに

　本書は、哲学の基本を前提知識なしに学んでいただくための本です。しかも、100の項目をワンフレーズで構成し、哲学のテーマを網羅的に理解できるようにしました。

　哲学が古代ギリシアで始まってから、すでに2500年以上も経過していますが、その膨大な知恵の中からエッセンスを取り出し、お伝えしたいと思っています。

　しかしながら、多忙な現代人にとって、そもそも哲学の本など読むに値するのか。もっと「役に立つ」学問の方が必要ではないか……。このように、反問されるかもしれません。

　歴史をふり返ってみますと、時代が大きく転換するとき、今までの考えやものの見方では対応できず、新たな発想法を必要とする時期が訪れます。まさに今、こうした時代転換に匹敵する出来事が進行しているのではないでしょうか。このときは、答えを性急に求める前に、むしろ基本に立ちかえって、問題をあらためて考え直すことが大切です。

　物事を考えるとき、哲学は広い視野と長いスパンでアプローチします。日々進行している出来事に対して、一歩身を引いたうえで、「これはそもそもどのような意味なのか？」と問い直し、世界をどう見たらいいのか、新しいメガネを考案するのです。

　一見したところ、悠長な活動のように感じるかもしれませんが、時代がドラスチックに変化しているとき、こうした哲学の姿勢が欠かせません。本書において、2500年にわたって、哲学が提案してきた思考のメガネをご紹介しますので、皆さんもぜひ試してみてください。驚くよう

な発見ができるのではないかとひそかに期待しています。

　本の構成について、簡単にコメントしておきますと、全体は3つの
パートに分かれています。また、それぞれのパートには、複数のチャプ
ターが含まれ、全体として10のチャプターがあります。タイトルをつ
けて、示しておくと以下のようになります。

　読み方についてあらかじめ述べておきますと、本書はどこから読んで
いただいても、分かるようになっています。ただ、それぞれのチャプ
ターは同じテーマに関連していますので、ひと続きで読んでいただくこ
とをおすすめします。

また、読んでいただくと分かりますが、**それぞれのテーマを説明する**
とき、単なる紹介にとどまらず、問題点を指摘して、論争になった議論
に意を注ぎました。こうすることで、各テーマの論点が明確になるので
はないかと思っています。

　本書で引用した文献については、巻末に注記として掲載しています。
訳書のあるものについては、基本的に利用させていただきましたが、私
が自分で訳したものもあり、必ずしも訳書通りになっていない箇所もあ
ります。貴重な訳を使わせていただいたことを感謝いたします。

　最後になりますが、本書は企画段階から出版にいたるまで、東洋経済
新報社出版局の宮﨑奈津子さんにご援助いただきました。本来はもっと
早く出版する予定だったのですが、私が途中で体調を崩したこともあっ
て、しばらく休止していました。2022年になって、あらためて再開す
ることになって、このような形で仕上げることができました。これもひ
とえに、宮﨑さんのご尽力によるものです。この場をかりて、深く感謝
申し上げます。

　2022年11月

岡本 裕一朗

―――――― Introduction ――――――

哲学

Philosophy

哲学とはどんなものか

Chapter 1

人間

Human

人間とは何か

Chapter 2

知識

Knowledge

何を知りえるか

――――――――――――――― Chapter3 ―――――――――――――――

道徳

Moral

何をすべきか

Chapter4

幸福

Happiness

何を望んでもよいか

Chapter5

宗教

Religion

何を信じるか

Chapter 6

世界
Universe

世界は謎に満ちている

Chapter 7

自然
Nature

自然をどう理解するか

Part3

正解のない世界を生きる

Chapter8

制
度

Institution

見える制度、見えない制度

——— Chapter9 ———

社会

Society

他人といかに共生するか

哲学

Philosophy

哲学とは どんなものか

哲学とは何か——。

この問いには、**哲学者の数ほど異なる答えがある**と言われます。

そのため、「これが哲学だ!」といった一義的な定義は難しいのです。

ここでは、「哲学」にかんする代表的な見方をいくつか紹介して、**「哲学」の多様性を感じていただきたい**と思います。とはいえ、哲学者の活動を見ていると、共通の特徴らしきものはあります。

その一つは、哲学の根源性です。哲学はしばしば、前提そのものを疑う活動だとされます。さまざまな学問、伝統的な考え、日常生活での常識など、ふつうは自明だと思われ、疑われなかったことに対して、あえて疑いを入れるのです。「えっ、そこまで疑うの?」というところまで

行くのですから、時には「狂人」と見なされることもあります。

　実際、デカルトは荒唐無稽な「夢」を想定したり、「狂人」の妄想に言及しながら、自分の思考を確かめています。しかし、極端になりすぎると、日常生活が立ち行かなくなりますので、このあたりのバランスが必要かもしれません。結果は別にしても、**当たり前だと見なされる前提を根本的に疑うことは、哲学の共通の特徴**と言えます。

　もう一つは、思考の徹底性を挙げることができます。自分のアイデアやパースペクティブ*が出てくると、それに適した概念（コンセプト）が形成されます。そのあと、すべてをその概念に従って、徹底的に見ていこうとするのです。通常はどこかで妥協してしまうのですが、哲学はむしろ、その見方を最後まで推し進めようとするのです。

　過去の哲学者の本を読む時、いや応なく気づかされるのは、まさしくこの思考の徹底性にほかなりません。

「へー、こんな見方があるのか！」という世界が、着想された概念にもとづいて描かれているわけです。そうした意味で、**哲学史は奇抜なアイデアの宝庫**と言えるかもしれません。あまり身構えず、**ワンダーランドを覗くようなつもりで、楽しむことをおすすめします。**

　哲学史というと、過去の哲学のカビ臭い世界だと思われるかもしれませんが、決して古びてしまうことはありません。極端に言えば、「哲学史なくして哲学なし」といえます。

　もちろん哲学史といっても、単に知識（物知り）のためでなく、自分で「哲学する」ためにこそ必要になります。「テクストの外には何もない」[1]と言ったのはデリダですが、過去の哲学書を読まずに哲学的に考えることはできません。

＞パースペクティブ：哲学者ニーチェが提唱した用語。人間の認識がつねに一定の立場や観点から行なわれるという考えで、美術の遠近法をヒントにしている。

「哲学」ではなく、「哲学する」ことを学べ！

　哲学というと、何やら難しそうな「〜主義」とか「〜説」、あるいはカタカナの人名がいろいろ出てきて、暗記するものだと思っている人も多そうです。そんな時は、ドイツの哲学者イマヌエル・カント*の言葉を思い出しましょう。

　彼は、学校で教えるような知識としての「哲学」と、自ら考えることとしての「哲学すること（フィロゾフィーレン）」を区別し、「人は哲学を学ぶことはできない。（中略）ただ、哲学することを学ぶことができるだけである」[2] と語っています。

　単なる哲学の知識ではなく、自分のアタマで哲学的に考えることは、どうすれば可能になるのでしょうか。アメリカで現在活躍中の哲学者トマス・ネーゲルは、「14歳くらいになると、多くの人は哲学的な問題について自分自身で考え始める」[3] と述べています。

　たとえば、思春期のころ、他人が自分のことを理解してくれないと感じたり、逆に他人のことが分からないと感じたりしたことは、おそらく誰にでもあると思います。

　こうした経験がくりかえされると、他人との付き合いもおっくうになります。けれど、それだけでなく、「自分と他人は、相互に理解し合えるものなのか」という疑問も出てくるのではないでしょうか。この疑問

は、さらに徹底化されるかもしれません。

　たとえば、「そもそも、人間は他人の心を理解できるのだろうか？」とか、「そもそも、他人を理解するとは、いったいどんなことか？」。あるいは、「そもそも、他人に心があるとどうして分かるのか？」。疑問は深まるばかりです。

　こうした疑問は時間がたつにつれて、ふつうは忘れ去られてしまうようです。とはいえ、忘れたからといって、疑問が解決されたわけではありません。時々は、思い出したり、疑問が広がったりするのではないでしょうか。

　実を言えば、**いつの間にか忘れてしまった「そもそも」問題を、あらためて問い直すのが「哲学すること」**に他なりません。哲学は、過去の哲学者の学説を知るのが目的ではありません。では、何のために哲学者の本を読むのでしょうか。

　哲学者の本を読んだ時、自分もまた同じような考えや体験をしたことに気づくかもしれません。これを「あるある！体験」と呼んでおきます。

　たとえば、デカルトが「感覚的なものは誤ることがあるので、信じるのを保留しよう」と述べた時、ほとんどの人が同意すると思います。

　それと同時に、「そこから、何が出てくるのだろう？」と疑問になるのではないでしょうか。

　もちろん、その先のデカルトの説明を読んで、納得するかどうかは分かりませんが、哲学者の立てた問いを他人事ではなく、自分自身の問題として考えることができるはずです。

　このように、**哲学者の議論を通して、自分自身で考え、自分なりに「哲学する」**ことが必要なのです。

Column

　日本語で「哲学」というと、一つの学問のように取り扱われています

が、欧米語（英 philosophy、仏 philosophie、独 Philosophie）や、その語源であるギリシア語（フィロソフィア philosophia）は、「知を愛する」という意味で、形の上では「〜学」のような言葉ではありません。文字通りに訳すと、「愛知」になってしまいます。

そのため、「哲学」は他の学問のように、特定の研究領域をもっていない、と言われます。たとえば、「心理学 psychology」は、「心理」という研究領域を取り扱う「学」とされますが、「哲学」にはそうした説明が不可能なのです。しばしば、「哲学」は何をするのか分からないと非難されますが、その原因はここにもあります。

> **イマヌエル・カント**：18−19世紀のドイツの哲学者。『純粋理性批判』『実践理性批判』『判断力批判』の三批判書を発表し、批判哲学を提唱。認識論において、いわゆる「コペルニクス的転回」を行なった。

哲学は「驚き」や「疑い」からはじまる

哲学は一見したところ、生活の役には立ちそうに思えません。それなのに、どうして求められるのでしょうか。哲学の動機はどこにあるのでしょうか。

人がなぜ哲学を求めるのか、つまり哲学を求める根源として、古くから語られてきたのは、「驚き（タウマゼイン）」です。**プラトン***は、**「驚き」こそが、「知を愛し求める哲学」のはじまり**だと、強調しています。また、**アリストテレス***も、『形而上学』の中で、次のように語っています。

> 驚異することによって人間は、（中略）知恵を愛求し〔哲学し〕始めたのである。ただしその初めには、ごく身近の不思議な事柄に驚異の念をいだき、それからしだいに少しずつ進んで遙かに大きな事象についても疑念をいだくようになったのである。（中略）ところで、このように疑念をいだき驚異を感じる者は自分を無知な者だと考える。（中略）したがって、まさにただその無知から脱却せんがために知恵を愛求したのである。(4)

つまり、①驚き、疑いをいだく⇒②自分を無知だと感じる⇒③知恵を求める（哲学）という流れです。

ここで哲学というのは、今日のような狭い意味の哲学ではなく、学問全体を指す言葉です。アリストテレスは万学の祖と呼ばれるように、論

理学も、生物学も、天体論も、政治学も神学も、ありとあらゆる分野を探究し、それらを全体として「哲学」と考えています。

　ここで重要な点は、哲学的探究のはじめに、「驚き（タウマゼイン）」があることです。逆に言えば、驚きがなければ、哲学の探究は始まらないのです。目の前の生きものを見て驚く。星空を眺めて驚く。そこから、「どうして？」「なぜ？」という問いが生まれ、その探究へと向かうのです。

　子どもが大人に対して、「なぜ？」という問いをくりかえすのを見て、しばしば「子どもは小さな哲学者である」と言われたりします。

図1　子どもの疑問と哲学

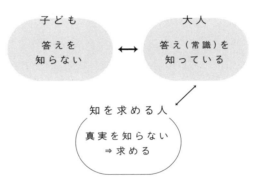

　たしかに、子どもは何事にも驚き、素朴に質問するのに対して、大人はそうした態度をいつしか失い、常識的な考えに固まってしまいます。そのため、子どもは哲学者に見えるのかもしれません。

　では、哲学の問いは、子どもが発する疑問と同じなのでしょうか。

　周りの有力者たちに、「○○とは何か？」という疑問をくりかえしたソクラテス*の場合を考えてみましょう。彼としては「自分は知らない」という立場で問うのですが、常識的な答えを知らないわけではありませ

ん。ただ、そうした答えが、真実ではないと考えているのです。

　この真実に迫るために、ソクラテスは答えを知っていると思っている人々に、あえて質問し、その答えが間違いであることを暴き立てるわけです。考えてみれば、かなり嫌味なやり方ですので、死刑になったのも無理からぬことかもしれません。こんな子どもは、おそらくいないのではないでしょうか。

> **プラトン**：紀元前5−前4世紀の古代ギリシアの哲学者。ソクラテスの対話篇を書き、問答法からイデア論を形成し、その後の哲学の原型を築いた。弟子であるアリストテレスから批判されるが、二人の哲学は哲学の歴史全体に影響を与え続けている。
> **アリストテレス**：紀元前4世紀のギリシア最大の哲学者。プラトンの弟子であり、アレクサンダー大王の家庭教師としても知られている。
> **ソクラテス**：紀元前5−前4世紀の古代ギリシアの哲学者。プラトンの師に当たり、問答法によって、真理を探究することを主張した。その行動によって、死刑宣告され自ら毒杯をあおぐ。

哲学は世界を見るメガネである

　哲学といえば、抽象的で小難しい概念をもてあそび、日常の生活には役に立たない活動のように見えるかもしれません。たしかに、オリジナルの外国語が翻訳される過程で、漢語が使われるようになり、いっそう身近な言葉ではなくなりました。

　たとえば、「存在」という厳めしい言葉にしても、もともとは「ある」という日常語とつながっていますので、「本が机の上にある」とか「彼女は美しい（美しくある）」といった表現で、よく知られたものです。

　ところが、存在論とか、存在問題というと、そうした関連が切れてしまいます。

　そのため、日常的には縁遠く感じるかもしれませんが、あくまで私たちの生き方と深くかかわっています。それにしても、いったい何のために、哲学は抽象的な「概念」を使うのでしょうか。

　現代フランスの哲学者ジル・ドゥルーズ＊とフェリックス・ガタリ＊は、『哲学とは何か』（1991）の中で、「哲学は概念を創造することを本領とする学問分野である」⑸と述べています。

　ここで「概念＊」と呼ばれているのは「コンセプト」ですが、最近では、商品や製品を開発する時にも、使われています。たとえば、新製品を売り出す時に、その「コンセプト」がCMにおいて強調されます。

　そう考えると、「概念（コンセプト）」は哲学に特有のものとは言えませ

ん。では、哲学において「概念を創造する」とは、どんな意味でしょうか。分かりやすくするために、「概念」と語られているものを、「思考のメガネ」と言いかえてみましょう。

哲学者たちは、さまざまな「思考のメガネ」を創造してきました。プラトンの「イデア」、デカルトの「コギト」、ヘーゲルの「ガイスト*」など、挙げていけばキリがありません。哲学者たちは、「これをつけて世界を見てごらん！　いままでとは違った風景が広がるよ」と誘ってきたのです。

哲学は、科学のように実験したり統計を取ったりしません。哲学を進めるには、概念を使った理論的な活動しかありません。そのため、しばしば「哲学は抽象的で難しい言葉を使う」と言って非難されるわけです。

しかし、**哲学にとって必要なことは、「概念」によってどのような世界が見えてくるか**にあります。哲学のメガネ（概念）を使うと、いままでとは違った世界が現われてきます。その概念（思考のメガネ）を使わなかったら、おそらく気づかなかったことです。

そのため、哲学の概念は慣れないと抽象的で難しく感じるかもしれませんが、意味が分かってくると、具体的なイメージが広がるはずです。新たな世界との遭遇が、哲学によって可能になりますので、どんな世界が見えてくるのか、楽しんでください。

その時、忘れてはならないのは、**思考のメガネであるかぎり、人によって合うか合わないか、分かれる**ことです。自分に合ったメガネを選ぶように、自分に適合した思考のメガネ（概念）を見きわめてください。当然、その時の流行もあります。カッコよく、よく見える思考のメガネ（概念）は、生活を豊かにしてくれます。

Column

ドゥルーズ゠ガタリは、ジル・ドゥルーズとフェリックス・ガタリの二人が、しばしば共著として書物を出版したので、このように表記し

ます。共著としてもっとも有名なのは、19世紀のマルクス゠エンゲルスでしょうが、20世紀ではアドルノ゠ホルクハイマーの『啓蒙の弁証法』があります。共著で問題になるのは、「持ち分問題」と呼ばれていますが、どちらが原稿のどの部分を書いたのか、またどのようにして二人が共同作業したのか、という点です。さらに、二人の考えが対立しないかどうかも問われます。21世紀になると、複数で文章を書き込むことが簡単にできますので、共著の問題は今後重要になるはずです。

> **ジル・ドゥルーズ**：20世紀のフランスの哲学者。構造主義以後のフランス現代思想を代表し、ガタリと共著で出版した『アンチ・オイディプス』が若い世代に受け容れられ、そのメッセージはライフスタイルまでも変えた。
> **フェリックス・ガタリ**：20世紀のフランスの哲学者。ジル・ドゥルーズと共著で発表した『アンチ・オイディプス』が話題となり、それ以後共同作業が多かった。実践家として、革命的な思考をしばしば表明している。
> **概念（コンセプト）**：哲学では、物事を考える時の基本的な考えを意味するが、最近はビジネスの場面でも使われている。その時は、仕事を企画する際の一貫した考え方のようなものを指している。
> **ガイスト**：ドイツ語のGeist（精神）に由来することであるが、個々人の心よりもむしろ広い共同体や時代などに共通するあり方を指して使われる。ヘーゲルの著書『精神（ガイストの）現象学』が、典型的な使い方。

哲学は
見ることを
学び直すこと
である

　哲学は他の学問（たとえば科学）とは違って、定まった専門分野がある
わけではありません。そのため、「哲学する」と言っても、いったい何
を考えたらいいのか、途方に暮れてしまいます。その時は、フランスの
哲学者メルロ＝ポンティ*が語った、「真の哲学とは、世界を見ることを
学び直すことである」(6)という言葉を、思い出すことにしましょう。

　哲学に先立って、私たちはすでに「世界を見て」います。それなのに、
どうして「学び直す」必要があるのでしょうか。しかし、そもそも「見
ることを学び直す」とはどんなことなのでしょうか。

　メルロ＝ポンティは、心理学のさまざまな錯視の例を出しながら説明
していますので、その一つを使うことにします。たとえば、ミュラー・
リヤー錯視と呼ばれる図形があります。これは一般に、「同じ長さの線
分に、内向きの矢羽をつけると長く見え、外向きの矢羽をつけると短く
見える」と説明されます。

　この図形が「錯視」と呼ばれているのは、本当は「同じ長さ」なのに、
誤って「長さが異なる」ように見えるからです。しかし、問題なのは、
「同じ長さ」の方が、どうして本当だと言えるのか、と言うことです。

　この判断にはすでに、科学的に理解された世界（数学的に計測された世
界）こそが真の世界で、日常生活の中で体験されているような世界はむ
しろ誤っている、と前提されているのです。

図2　ミュラー・リヤー錯視

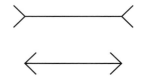

　科学的世界は、日常的な世界を忘却することによって、はじめて成立するわけです。しかし、だからと言って、客観的で科学的世界だけが、唯一の正しいものだ、と決めつけることはできません。

　むしろ、日常的な世界へといったん立ち戻り、見え方の多様性を学ぶことが必要になります。実を言えば、「同じ長さ」というものは、矢羽を外した時に「見える」長さであり、定規を当てて「見える」時の長さなのです。

　科学的な見方と日常的な見方では、対立しているように思えますが、見え方である点では、いずれも変わりません。こう考えると、「客観的」とされる世界について、その意味も新たな形で理解できるのではないでしょうか。

　こうしたことは、常識的な態度にもしばしば起こります。すでに決まりきった見方で物事を判断することに対して、哲学はものの見方を学び直し、硬直した態度から解放してくれるかもしれません。

Column

　フランスの哲学は、第二次世界大戦後、一般に三段に分けてまとめられます。①戦後すぐの**実存主義***、②1960年代の**構造主義***、③1960年代後半からの**ポスト構造主義***です。メルロ゠ポンティは、実存主義から構造主義への移行期に、現象学の立場から重要な仕事を行なってきました。実存主義のサルトルより3歳若いのですが、サル

> トルとは対抗しつつ、ドイツの**フッサール***現象学の後期思想に依拠
> して、新たな哲学を構想しました。

> **メルロ゠ポンティ**：20世紀のフランスの哲学者。サルトルより3歳若く、同じよ
> うに**フッサール**の現象学を研究したが、とくに後期のフッサール現象学に着目し、
> サルトルとは違った現象学像を提示した。1945年の『知覚の現象学』が主著であ
> るが、人間の受動性を解明した。
> **実存主義**：サルトルの『実存主義とは何か』の記述から、「実存が本質に先立つ」[(7)]
> と考える哲学とされる。サルトルは、その系譜としてキルケゴールやニーチェ、ハ
> イデガーやヤスパース、マルセルなどを挙げている。しかし、この規定と人物につ
> いては、本人たちからも批判があがっている。
> **構造主義**：哲学理論としては、1960年代にフランスで流行した構造主義を指す。
> ただし、代表者であるレヴィ゠ストロースが主著の『親族の基本構造』を出版した
> のは、1947年であり流行よりも早い。また、レヴィ゠ストロースによれば、構造
> 主義が可能なのは、人類学と言語学のみとされる。
> **ポスト構造主義**：およそ1960年代後半から70年代後半までのフランスで流行し
> た思想の運動を表現したもの。言葉としてはアメリカのジャーナリズムで使われた
> もので、その代表者とされるデリダなどは、「私はポスト構造主義者ではない」と否
> 定している。
> **フッサール**：19–20世紀のドイツの哲学者。ブレンターノやマッハなどに影響を
> 受け、現象学をはじめた。代表作は、『純粋現象学及現象学的哲学考察』であり、そ
> の第1巻が1913年に発表されている。ハイデガーはその弟子であり、後にサルト
> ルやメルロ゠ポンティにも影響を与えた。

ハエとり壺から ハエを脱出させる

　哲学は難解な言葉によって壮大な体系をうち立てる学問である。
——このイメージに真っ向から対立するのが、**ヴィトゲンシュタイン***
が提示した哲学です。彼は、次のような面白いイメージを語っています。

> 「哲学におけるあなた〔ヴィトゲンシュタイン本人〕の目的は何か。——
> ハエにハエとり壺からの出口を示してやること」[8]

　このイメージを理解するには、あらかじめ他の哲学者たちが、どんな
ことをしてきたのか、確認しておかなくてはなりません。ヴィトゲン
シュタインは次のように書いています。

> 　哲学者たちが語——「知識」「存在」「対象」「自我」「命題」「名」など
> ——を用いて、ものの本質を把握しようとしているとき、ひとは常に次の
> ように問わなくてはならない。いったいこの語は、その元のふるさとであ
> る言語の中で、実際いつもそのように使われているのか、と。——
> 　われわれ〔ヴィトゲンシュタイン〕はこれらの語を、その形而上学的な
> 用法から、ふたたびその日常的な用法へと連れもどす。[8]

　ヴィトゲンシュタインによれば、これまでの哲学者たちは「病気」にかかっていたのです。それをここで、「語の<u>形而上学</u>*的用法」の病と呼ぶことにしましょう。

　この病を治療することが、ヴィトゲンシュタインの考える「哲学者」の役割です。これが求められる「哲学者」なのです。<u>「(求められる) 哲学者は、病気をとりあつかうように、問いをとりあつかう」</u>と述べています。

　では、病気の治療はどうやって進められるのでしょうか。彼が治療と考えたのは、哲学者たちが使う語を、「<u>日常的用法</u>」へ連れ戻すことでした。

　哲学者たちが難解で意味不明な言葉を使うのは、実は病気なのです。この病気を治療して、日常的な言葉の使い方へ引き戻そうというわけです。

　お分かりのように、言葉を日常的な用法から、形而上学的な用法へ考え違いをしたのは、哲学者たちです。そこで、哲学者たちの病を、治療しなくてはならない、というのがヴィトゲンシュタインの意図です。これを彼は、「ハエにハエとり壺からの出口を示す」と表現したのです。

　ここから分かるのは、いままで言語について、多くの哲学者たちが誤解してきたことです。そのため、言語の働きを明らかにすることによって、「哲学的問題は解決される」と言われます。

　<u>哲学の問題は、言語についての誤解から生まれ、言語を解明することによって解決される</u>わけです。

　そう考えると、哲学者たちの文章を読む時は、言葉の使い方が正しいのかどうか、いつも注意しながら読むのがいいのではないでしょうか。くれぐれも、難解な言葉に惑わされることのないようにしたいものです。ハエとり壺から出られなくなります。

> ルートヴィヒ・ヴィトゲンシュタイン：19–20世紀のオーストリア出身のイギリスの哲学者。生前に出版された哲学書は、1921年の『論理哲学論考』だけである。死後、その書の自己批判も含め、哲学の新たな取り組みが遂行された。
> 形而上学：アリストテレスの著作『形而上学』に由来する概念。感覚や経験的世界を超えた世界を真実在と考え、その原理を考えることをテーマとする学問。ただし、形而上学の意味については、時代や個人によって、その意味が異なるので注意が必要。

自然探究か ディアレクティケーか?

　哲学はいつからはじまったのか?——この問いには、二つの答え方が可能です。一つはタレスからという答え、もう一つはソクラテスからという答えです。

　年代を見ますと、**タレス***の方がソクラテスよりずっと年上ですから、タレスでよさそうに見えます。それにもかかわらず、**ソクラテス***を最初の哲学者と見なす考えは、根強くあります。

　タレスはミレトス自然学*派の人物であり、万物の根源(アルケー)*を探究した人物です。タレスはそれを、「水」だと規定したのですが、彼に続く人たちは、いろいろな物質を万物の根源と考えました。

　やがて、デモクリトスは、万物が「原子(アトム)」からできている、と主張しました。こうした展開を見ていると、**タレスに発する哲学の流れは、今日では自然科学タイプの探究に近い**と言えます。

　それに対して、ソクラテスがはじめたのは、「ディアレクティケー(問答法)」と呼ばれるものです。これは、相手と直接対話しながら、真理を探究していくものです。

　具体的には、**相手に問いを出し、その答えを検討し、あらためて問いを提出する**ことです。こうした言葉による吟味を通して、真実に迫って

図3　タレスとソクラテスの哲学

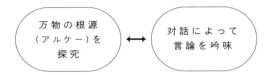

いくわけです。

　こちらのタイプの哲学が、後に哲学の伝統として形成されてきました。ふだんは疑われなかったことに、あえて疑いをいだき、問いを提起し、そこから互いの言論を検討することで、真理を見つけようとするのは、まさにソクラテス的な方法に従っているのです。

　この二つのタイプの哲学は、その後、自然学や自然科学と、いわゆる哲学へ分岐していきました。しかし、古代ギリシアで哲学がはじまったころは、両者の探究を包括して哲学と呼ばれていたのです。

　たとえば、アリストテレスは、自然学も含め膨大な領域を探究したのですが、それを見ると哲学にも広い意味と狭い意味があるのが分かります。

　このように、哲学がはじまったころは、哲学は学問全体を指す言葉として使われていたのです。

　今日、哲学といえば、科学からは区別され、認識論や存在論と言うように、固有の研究領域を想定しがちですが、もともとは科学からも区別されず、広く学問領域全体を探究する活動だったのです。

　したがって、いまでも哲学を考える時、最初から狭い領域だけに限定しないほうが可能性も広がります。

Column

　タレス（B.C.624ごろ～ B.C.546ごろ）を含め、ソクラテス以前の哲学者たちの著作は残されていません。そのため、彼らの考えを知るに

は、他の人が報告した断片から推測するほかありません。その中でも有名なものが、ディオゲネス・ラエルティオスの著書『ギリシア哲学者列伝』です。この本は、哲学者たちの説を知るだけでなく、人物としてのエピソードまで記述され、ゴシップ記事のような雰囲気です。書かれた内容の真偽について、疑われることもありますが、他に頼るべき文書も少ないので、古代哲学を知るには必読の文献とされています。

> **タレス**：紀元前 7–前 6 世紀の古代ギリシアの哲学者。イオニア地方の自然学にもとづいて、万物の根源を「水」と規定した。しばしば、ソクラテスとは異なるタイプの「哲学の父」と呼ばれている。
> **ソクラテス**：Basic 2 を参照
> **ミレトス自然学**：紀元前 6 世紀ごろ、古代ギリシアではじまった哲学であるが、エーゲ海に面する都市国家ミレトスで行なわれたので、こう呼ばれる。タレス、アナクシマンドロス、アナクシメネスなどを含む。万物（自然）のアルケーを探究するので、自然学（哲学）と呼ばれる。
> **万物の根源（アルケー）**：万物の根源を意味する語として、古代ギリシアで使われた概念。アナクシマンドロスが使いはじめたと言われる。

プラトン哲学の脚注？

　西洋哲学はプラトン哲学のフットノート（脚注）である———。これは、哲学の歴史を考える時、人口に膾炙した言葉です。やや強調されすぎとはいえ、あながち間違いとは言えません。

　イギリスの哲学者ホワイトヘッド*は、『過程と実在』（1929）の中で、「西洋の哲学の伝統についての最も一般的な特性描写は、それがプラトンについての一連の脚注から成り立っている、ということだ」(9)と語っています。

　実際に哲学の歴史に踏み込んでみると、プラトンへの反対者も含め、つねにプラトンの影が見えるのは、疑うことができません。

　たとえば、アリストテレス*を考えれば、彼はプラトン*の弟子であるとともに、その最大の批判者です。アリストテレスの考えの多くは、プラトンから由来すると同時に、それを根本的に批判することによって成り立っています。

　その点で、アリストテレスの哲学が、プラトンに対立するように見えて、実際にはプラトンに大きく依拠しているのは否定できません。図示すると、次のようになるでしょう。

図4　プラトン哲学とソクラテス哲学

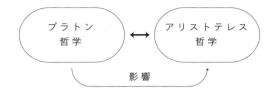

そこで哲学史全体を眺めると、このプラトンとアリストテレスの対立が、中世でも近代でも現代でも、くりかえし現われてくるのが分かります。たとえば、近代の哲学者ライプニッツ*は、イギリスのジョン・ロック*の著書の批判として『人間知性新論』を書いたのですが、その序文で次のように語っています。

> 実際『知性論』の著者〔ロック〕は、多くの立派なことを述べており、それらを私〔ライプニッツ〕は称賛するにも拘らず、我々〔二人〕の学説は大分異なる。彼の説はアリストテレスに近く、私の説はプラトンに近い。我々の説は共に、これら二人の古代人の説とは多くの点で掛け離れてはいるけれども。(10)

ライプニッツとロックとの対比は、あくまでも氷山の一角に過ぎません。どの哲学者にしても、最終的にはアリストテレスかプラトンかに結びつきます。しかも、アリストテレスはプラトンとの関係から議論しているのですから、結局は「プラトン哲学の脚注」と言っても、間違いにはなりません。

ここで分かるのは、哲学史を理解する時、プラトン由来なのかアリストテレス由来なのかによって、大別できることです。

それを一般化すると、理性主義か経験主義*かという対立としておさえることができます。

図5　理性主義と経験主義

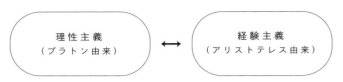

　この二つの対立が、それぞれの時代に応じて特有の形で現われます
が、基本的にはこの対立のくりかえしが哲学史と考えることもできます。

Column

理性主義か経験主義かという対立は、哲学の歴史だけでなく、人工知
能（AI）の設計思想にまで影響を与えています。現在のAIでは、
「ディープ・ラーニング」という手法によって、経験主義が強調され
ています。これに対して、以前の記号主義にもとづくAIでは、理性
主義が基本になっていました。こうなると、AIの分野にまで、「プラ
トン哲学の脚注」が当てはまるのかもしれません。

> **アルフレッド・ノース・ホワイトヘッド**：19-20世紀のイギリスの数学者、哲学者。ラッセルと共著で、『プリンキピア・マテマティカ』（1910-13）を出版し、論理学と数学の仕事が高く評価されている。その後哲学にも、プラトン主義を重視し、そこから貴重な仕事を残している。

> **アリストテレス**：Basic 2 を参照

> **プラトン**：Basic 2 を参照

> **ゴットフリート・ライプニッツ**：17-18世紀のドイツの哲学者、数学者。哲学の見解として、「モナドロジー（単子論）」を提唱したが、著作として自ら出版したものは『弁神論』など少なく、膨大な遺稿が残されている。

> **ジョン・ロック**：17-18世紀のイギリスの哲学者。**イギリス経験論**＊の父と呼ばれ、『人間知性論』は後に続く経験論の典拠になっている。また、『市民政府論（統治二論）』は社会契約論の古典として読まれている。

> **経験主義**：人間の知識は経験に由来するという考えで、一般には合理主義や理性主義に対立させて考えられている。古くはアリストテレス（経験主義）とプラトン（理性主義）にはじまり、その後はこの対比がくりかえし現われる。

> **イギリス経験論**：17世紀から18世紀にかけて、イギリスで展開された哲学。代表者は F・ベーコン、ロック、バークリー、ヒュームなど。

哲学史は「転回（Turn）」から理解する

　カント哲学を特徴づける時、「コペルニクス的転回」という言葉をよく使います。思考法が根本的に転換したことを示すために、「転回」が語られるのです。

　この「転回」という言葉を利用して、20世紀哲学を特徴づけようとしたのが、アメリカの哲学者リチャード・ローティ*です。

　ローティは、分析哲学のアンソロジーを編集して、その序文を書き、題名にもなった「言語論的転回（Linguistic turn）*」という言葉を広めました。ただ、この言葉自体は、ローティが作ったものではなく、あくまでも借用です。

　しかしながら、とてもキャッチーなものでしたので、世界的に大流行したわけです。ただし、その時ローティが想定していたのは、分析哲学の展開だったのですが、一般化されると20世紀哲学全体の特徴として定着することになったのです。

　こうして、20世紀哲学が「言語論的転回」と理解されると、それ以前をどう理解したらいいか、気になります。たとえば、ドイツの哲学者**ユルゲン・ハーバーマス***は次のように語っています。

　科学史に由来するパラダイムという概念を哲学史に転移し、「存在」・「意識」・「言語」を手がかりにして大まかな時代区分を行う、というやり方は、

いまではすっかり市民権を得ている。これに応じて、(中略) 存在論的・反省哲学的・言語論的な思考様式が区別されるであろう。[11]

そこで、**哲学史の展開を考える時、大まかには次の三つの転回を軸として理解できる**ことになります。この時、中世哲学をどうするかが問題になるかもしれません。

古代の枠に取り込めば、「存在論的転回」となりますが、独立化させると、「神学的転回」という項を入れていいかもしれません。

図6　哲学史の「3つの転回」

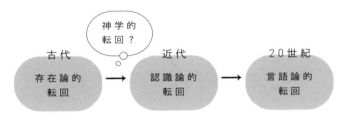

また、21世紀になって、現代から今後の哲学を考える時、どんな転回を想定するか問題になります。実際、今日の哲学者たちは、「実在論的転回」・「自然主義的転回」・「メディア論的転回」など、さまざまな候補を提唱していますが、いまのところコンセンサスが得られたわけではありません。

しかし、現代の社会状況を考えると、やがて「技術」に集約されるのではないでしょうか。とすれば、「技術論的転回」が21世紀を方向づけるキーワードになりそうです。

Column

「コペルニクス的転回 (Kopernikanische Wende)」というのは、カント哲学が引き起こした思考法の革命を指す言葉ですが、カント自身

がこの言葉をそのまま使ったわけではありません。また、「コペルニクス的転回」という言葉を聞くと、一般的には地球の年周運動を想像しがちですが、カントがコペルニクスとの対比を考えた時は、日周運動なのです。この点を誤解すると、カントとコペルニクスとの対比が、捻れてしまいます。コペルニクスが明らかにしたのは、星の見かけ上の動きが観測者の動きにもとづくことです。これと同じように、認識における見かけ上のもの（現象）が、認識者の働きにもとづくことを、カントは明らかにしたのです。

> リチャード・ローティ：20-21世紀のアメリカの哲学者。1967年に論集『言語論的転回』を編集し、「言語論的転回」という言葉を広めたが、哲学者としては1979年に発表した『哲学と自然の鏡』で評価される。プラグマティズムを再評価し、ネオプラグマティズムを提唱した。

> 言語論的転回：ローティが1967年に編集した『言語論的転回』という本で流行した言葉。もともとは、20世紀の分析哲学の成立を表現する言葉だったが、後には20世紀哲学全体の特質として使われるようになった。

> ユルゲン・ハーバーマス：20-21世紀の存命するドイツの哲学者。フランクフルト学派の第二世代とされ、批判理論を展開してきた。独自の哲学として、コミュニケーション行為の理論を構想し、民主主義に対して活発な意見を表明している。ドイツの思想界では、重鎮であり、大きな影響力をもっている。

哲学は剽窃の歴史か？

　哲学者の本を読む時、よく陥りがちな間違いは、哲学者たちが自分の考えを提示する時、すべてオリジナルなものだ、と想定することです。とくに、ビッグネームの哲学者ほど、そう見なされがちです。これは完全に誤っています。

　どんなに偉大な哲学者であっても、先行する人々や、同時代の人々から、アイデアや表現などを、少なからず借用しているのです。ところが、哲学者たちは、その事実をあまり公言しません。自分の意識の中では自ら創造したと思っていても、実際のところ、さまざまな形で影響を受けています。とくに、哲学者の核になる部分で、そうした借用がある場合、ほとんど沈黙しています。

　こうした状況が、哲学の理解を難しくする要因にもなっています。というのも、本を読みながら、なぜこうした表現を使って考えるのか、不思議になる時があります。こうした場合は、たいていが他の人からの影響が大きく働いています。

　たとえば、ニーチェ*を考えてみましょう。彼らしい概念と見なされる、「超人」・「ニヒリズム」・「神は死んだ」などは、すべて他のところから利用したものです。ニーチェは、こうした借用を意図的に行なって、「パロディ化」したのですが、こうした事例はニーチェだけではありません。

有名なところでは、パスカル*の『パンセ』は、モンテーニュ*の『エセー』を開いて横目で見ながら書き綴った、と言われるほど類似の表現がたくさんあります。そのため、『パンセ』の断章には、『エセー』との対応箇所がきちんと書いてあります。しかし、注意したいのは、このことが、パスカルを貶めるわけではないことです。

　そもそも、一人の哲学者が、自分のすべてのオリジナルな考えを書き綴る、という想定自体が怪しいものです。たとえば、哲学史のはじまりとされるプラトン*でさえも、ソクラテス*は言うまでもなく、ピタゴラス主義*に大きな影響を受けた、と言われています。

　プラトン哲学を特徴づける「イデア*」という概念自体が、もともとはピタゴラス派が哲学的に使いはじめたものです。その他、プラトン特有の考えも、同じようなものです。

　このように、少し考えただけでも、同じようなことはたくさん出てきます。したがって、一人の哲学者の考えを理解する時でさえ、その歴史的な関係や同時代のバックグラウンドを見ておくことが必要になります。哲学者たちは、互いに影響し合いながら、自分独自の理論を形成していくのです。これを理解しなくては、哲学の理解は先に進みません。

　オリジナルと見える哲学者の考えのうちに、他からの影響や借用を見出すことが、哲学史を理解する時の重要な視点なのです。

Column

「パロディ」という言葉は、他の人の作品に対して、模倣したり作り替えたりする時使います。その際、オリジナルを隠したうえで模倣するのではなく、あくまでもオリジナルを明確にしたうえで、その作品からあえてズラすことによって、笑いを引き出すのです。

ニーチェは、代表作である『ツァラトゥストラ』を構想段階では「悲劇」と考えていました。ところがその後で、構想が変わり「パロディ」

と見なすようになったのです。内容としても、主人公の「ツァラトゥストラ」は歴史上の人物ゾロアスター教の教祖ですし、語り口は『聖書』のようでもあります。中心思想となったものも、やはり他から借用したものであり、まさに「パロディ」と呼ぶにふさわしい作品です。これを意識しながら読むと、真剣に語られる『ツァラトゥストラ』のなかに、遊び心を見つけることができます。

> **フリードリヒ・ニーチェ**：19 世紀のドイツの哲学者。ギリシア古典文献学から出発し、ギリシア悲劇を取り扱った『悲劇の誕生』を出版するが、後に自己批判する。主著として『ツァラトゥストラ』があり、「神は死んだ」と唱え、ニヒリズムの到来を宣言した。
> **ブレーズ・パスカル**：17 世紀のフランスの哲学者、数学者、物理学者。遺稿集に『パンセ』があるが、編集によってさまざまな版がある。短い断章で、人間について機微に満ちた観察を行ない、フランス・モラリストの系列に位置づけられる。
> **ミシェル・ド・モンテーニュ**：16 世紀のフランスの哲学者。1580 年に出版された『エセー』は、鋭い人間観察から、軽妙な表現によって語られるフランス・モラリストの源流にされる。何事も断定せず、「クセジュ（Que sais-je?）私は何を知っているか？」と問い、懐疑論を展開した。
> **プラトン**：Basic 2 を参照
> **ソクラテス**：Basic 2 を参照
> **ピタゴラス主義**：紀元前 6 世紀に、ピタゴラスが創設した宗教的学問的教団において、共通となった基本的な考え方。数を原理とし、宇宙や人生を均衡や調和として理解する。
> **イデア**：古代ギリシアのプラトンが唱えた基本概念。もとは「見られたもの」の意味であるが、プラトンは感覚的なものを超えた「～そのもの（自体）」に当たる実在とした。

大文字の哲学は終わった！

　他の学問に対する哲学の役割を考えると、時間の経過とともに大きく変わってきています。また、哲学の取り扱うテーマも、歴史的に変遷しています。その変化について、大きく4つの時代に分けて、示しておきます。

　ギリシア時代を代表する**アリストテレス**[*]では、哲学は他のさまざまな学問を統括するような、「棟梁的な学問」と見られていました。

　アリストテレスは、論理学や自然学や政治学、また詩学や弁論術など、あらゆる領域の研究を行なっていますが、それらをいわば指導するのが、**「存在としての存在」を解明する哲学の仕事**と考えていました。

　中世の時代には、キリスト教の力が強くなり、ギリシア由来の哲学に対して、神学がその上に立つようになりました。この時代には、哲学は「リベラル・アーツ」を担うものとされ、神学に対する準備的な部門と位置づけられたのです。

　また、近代になって、専門的な科学の発展とともに、哲学は新たな役割を演じるようになります。それは、哲学が他の諸学問の基礎づけを行なうというものです。

　こうした伝統は、諸学問に対して哲学を上に置くか、下に置くかの違いはありますが、いずれも哲学に大きな役割を与えています。こうした哲学を、「大文字の哲学（Philosophy）」と呼ぶことにしましょう。

　ところが、20世紀も後半になると、こうした「大文字の哲学」というイメージが、根本から崩れてしまいました。ギリシア時代のように哲学が諸科学を指導することができないばかりでなく、近代のように哲学が諸科学を基礎づけることもできない、と考えられています。

　こうして、哲学は他の学問と同じような、一つの専門分野と見なされるようになり、「小文字の哲学 (philosophy)」と見なされています。ところが、こうなった時、哲学はいったいどんな専門領域を探究するのか、あらためて問われることになります。というのも、もともと「哲学」には、固有の専門分野が割り当てられていなかったからです。

Column

　ドイツの哲学者マルティン・ハイデガー*によれば、古代ギリシアから始まった哲学は、現代において終焉を迎えている、とされます。というのも、哲学には、自然学をはじめさまざまな学問が含まれていましたが、時代とともにそれらの諸学問が専門科学として独立化していき、もはや何も残されていないからです。たとえば、「こころ」を取り扱う学問は、アリストテレスが『デ・アニマ』で論じて以来、哲学の重要な分野とされてきました。ところが、今日では、「こころ」は専門科学としての心理学が取り扱い、哲学だけの考察領域ではなくなったのです。こうして、およそ2500年続いてきた哲学は、今日、死を迎えていると見なされています。この判断をどう評価するにしても哲学の可能性はどこにあるのか、真剣に議論する必要があります。

> アリストテレス：Basic 2 を参照
> マルティン・ハイデガー：19–20世紀のドイツの哲学者。20世紀最大の哲学者とも言われ、その影響は世界中におよんでいる。1927年に発表した『存在と時間』は、電光石火のごとくドイツ中に広まった、と言われる。1930年代にナチスに加担したことで、その後に大きな影響を与え、その評価も定まっていない。

人間
Human

人間とは何か

　哲学をはじめるにあたって、その出発点をどこに定めるか。これは実に悩ましい問題です。というのも、哲学の歴史はすでに2500年を超えていますし、その内容も多種多様だからです。

　俗に「哲学者の数だけ哲学がある」とも言われます。とすれば、哲学の入り口ですでに、途方にくれるのではないでしょうか。

　しかし、そんな不安はまったくの杞憂です。20世紀最大の哲学者の一人、マルティン・ハイデガー*は、『哲学入門』という講義（全集27巻）で、「私たちが哲学について明確に何も知らない時でさえ、私たちはすでに哲学のなかにいる」[1]と述べています。

　なぜなら、「私たちが人間として存在しているかぎり、絶え間なく必

然的に哲学している」からです。

　哲学をはじめるのに、特別な知識は必要ではありません。生きているかぎり、私たちはさまざまな出来事に直面し、どう対処すべきか思いめぐらします。

　一見したところ、哲学には関係がない事柄でも、哲学に深くかかわっているわけです。

「人間であることは、すでに哲学していることだ」。こうハイデガーは語っています。

　私たちは生きている段階で、哲学のなかに足を踏み入れています。あまり自覚がないかもしれませんが、私たちはすでに哲学の諸問題を考えたことがある、と言えるのです。

　哲学は、いわゆる「専門哲学者」の独占物ではありません。むしろ、私たち「人間」の生き方から、必然的に立ち上がってくるものです。

　したがって、哲学をはじめるために、何よりもまず、「人間とは何か」という問いから出発する必要があります。

　哲学史を見ると、どの時代でも「人間」をめぐる問題が、形を変えながら問われているのが分かります。古代や中世では、宇宙や神がしばしばテーマになりましたが、その背後にはいつも、人間に対する眼差しが控えています。近代になると、こうした「人間」への関心が、前面に登場することになります。

　そこで、このチャプターではまず、哲学の基盤である「人間」が、どう理解されたのかを見ておくことにします。

> マルティン・ハイデガー：Basic10 を参照

すべての問いは人間へとさかのぼる

「人間とは何か」という問いは、哲学の中で特別な地位を占めています。たとえば、18世紀末のドイツの哲学者イマヌエル・カント*は、哲学を「学校的な意味」と「世界市民的な意味」に区別しながら、こんなことを語っています。

　世界市民的な意味における哲学の領域は、次の問いに還元されうる。
（1）私は何を知りうるか？――これを形而上学が示す。
（2）私は何をなすべきか？――これを道徳学が示す。
（3）私は何を望んでよろしいか？――これを宗教が教える。
（4）人間とは何か？――これを人間学が教える。
　初めの3つの問いは最後の問いに関係しているので、一切を人間学と名づけることもできるだろう。(2)

　哲学の領域をどう分けるか。これには、古くから諸説あります。とくに、「学校的な意味」の哲学では、複雑な体系が形成されてきました。しかし、ここでカントが語っているのは、そんな専門哲学者の哲学ではなく、「世界市民的な意味」、つまりすべての人間にかかわる哲学です。

　そう考えると、カントが示した区分は、とてもシンプルで分かりやす

図7　世界市民的意味での哲学

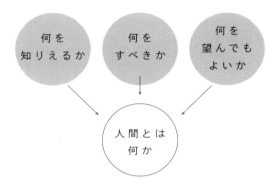

いと思いませんか。そのため、本書でも基本的にはこの区分を踏襲する
ことにします（ただし、「何を望んでもよいか」について対応する領域を少しアレ
ンジしています）。

　ここで、とくに注目したいのは、**哲学の問いが「人間とは何か」へと**
収斂する、と語られていることです。

　カントがこのように定式化したことで、人間への問いが哲学の中でい
かなる意義をもつのか、確認できるようになったのです。ただし、ここ
で「人間学」という表現には、若干の注意が必要です。

「人間とは何か」を問う場合、たとえば動物学の一部門として、人間の
特質や性格などが考察対象となるかもしれません。

　これは「生物学的人間学」と言われます。あるいは、「文化人類学（こ
れも人間学です）」のように、社会における人間の親族関係などを解明す
ることもあります。

　しかし、「人間とは何か」を哲学で問うのは、まったく異なっている
のです。

哲学では、**宇宙であれ、神であれ、社会であれ、すべてのものが「人間」にとって意味あるものとして理解される、という観点からアプローチされます。**人間は、さまざまな探究の原点であり、人間のあり方にもとづいて、その他の領域の理解も変わってきます。

　こうした意味で、**マックス・シェーラー**＊というドイツの哲学者は、「哲学的人間学＊」を唱えました。彼は1928年に「宇宙における人間の地位」という講演を行ない、**人間が自分たちをどう理解するか（「人間の自己像」）によって、世界理解も変わる**ことを力説したのです。

　残念なことに、この講演からほどなくしてシェーラーは亡くなり、「哲学的人間学」を完成できませんでした。それでも、その基本的な構想はいまでも高く評価されています。

>**イマヌエル・カント**：Basic 1 を参照
>**マックス・シェーラー**：19-20 世紀のドイツの哲学者。哲学的人間学を提唱したが、著作としては構想段階にとどまった。
>**哲学的人間学**：「人間とは何か」という問いに対して、哲学的な視点からアプローチする学問。人間を哲学の根本に置くことは、カントの哲学構想にあったが、その構想を受け継ぎ、20 世紀になってマックス・シェーラーなどが哲学的人間学を課題とした。

人間よ、汝自身を知れ！

　私たちはふつう、自分のことは自分が一番よく知っている、と思っています。しかし、「はたしてそうか？」と問いかえされると、あまり自信がもてません。

　とりわけ、他人を見ていると、「あの人、自分のことが分かっているのかな？」と疑問に感じることもしばしば経験します。もしかしたら、人間は自分のことが一番よく分からないのかもしれません。

　古代ギリシアの時代に、ソクラテス*が哲学をはじめた時、最初に要求したのが「汝自身を知れ（グノーティ・セアウトン）」ということでした。この要求によって、ソクラテスは自分がいかに「無知」であるかを自覚し、そこから真実の知識を求めるようになったのです。これが「知への愛」としての哲学とされます。

　「汝自身を知れ」という要求は、近代哲学を開始したルネ・デカルト*によっても、高らかに宣言されます。デカルトは、哲学をはじめるにあたって、自分のもっている知識が正しいかどうかを吟味し、少しでも疑わしいものは信用しないという態度をとりました。これを「方法的懐疑」と言います。

　たとえば、感覚的知識は時として誤ることがあります。また、数学的な知識にしても間違う可能性を否定できません。そうやって、少しでも

疑わしいものを排除していく時、夢と現実の区別さえ、疑うことができるのではないでしょうか。

　実際、デカルトは『省察』の中で、「目覚めと眠りを区別することができる確かな標識がまったくないことを私は明確に見てとって驚くあまり、この驚き自体が、私は眠っているのかもしれないという意見をほとんど私に確信させるほどである」[3] と語っています。

　この話のポイントは、二つあります。

　一つは、夢の中で現実だと思ったものが、後になって夢だと分かるとしても、夢を見ているさ中には現実感（リアルさ）があることです。

　もう一つは、現実にものを知覚している時でさえ、もしかしたら夢かもしれないと考えることができることです。私が現実だと思ってみても、夢ではないと保証するものが何もないからです。

　この考えを進めていけば、人間が見ている世界、あるいは現実だと思っている世界でさえ、もしかしたら巨大な幻想かもしれない、と疑うことができます。この問題は、後にさまざまな形で思考実験が作り出されたり、論証や批判が試みられたりしてきました。

　興味深いのは、この問題が哲学だけでなく、SF小説の題材や映画のテーマとして、活用されていることです。最近ではVR（仮想現実）やAR（拡張現実）として、技術的に作り出されています。

　こう考えると、デカルトの「方法的懐疑」が、きわめて広い射程をもつことが分かるのではないでしょうか。

Column

夢と現実との区別が不可能になる、というテーマで小説を書いたのが、アメリカの小説家フィリップ・K・ディックです。その小説「追憶売ります」は、アーノルド・シュワルツェネッガー主演によって、『トー

タル・リコール』として映画化されました。脳に処置をして「偽の記憶」を作り出すはずだったのに、むしろその内容は、実際に経験した「真の記憶」だった、というストーリーで、場面が展開していきます。どれがホンモノの記憶で、どれがニセの記憶か、区別できなくなるのです。しかし、こんなことは、小説や映画のなかだけで起きるのでしょうか。

> ソクラテス：Basic 2 を参照
> ルネ・デカルト：16-17 世紀のフランスの哲学者。近代哲学の父とされ、中世哲学とは異なる伝統を切り開いた。「われ思う、ゆえにわれあり」の命題によって、哲学の原理を確立するとともに、主観性の哲学をはじめた。

人間は死刑囚である

　釣りに出かけようとする人に、「これから釣る予定の魚をいま差し上げるので、釣りをやめたらどうか」と提案したとしましょう。はたして、この釣り人は「それはよかった」と言って、釣りに行くのをやめるでしょうか。

　たぶんそうはならないと思います。もしかしたら、怒り出して、「私は魚がほしいわけではない！」と答えるかもしれません。この人が求めているのは「魚」ではなく、むしろ「釣りをする気晴らし」だからです。

　こんな話を、デカルトと同時代人のパスカル*は、遺稿集『パンセ』で書いています。パスカルによると、人間はきわめて悲惨な状況におかれているので、この状況を見つめないために、「気晴らし」をあみだしたとされます。

　たとえば、娯楽や、遊びは言うまでもありませんが、仕事も勉強も、さらには恋愛でさえも、「気晴らし」に他なりません。

　こんな気晴らしが何もなく、時間だけが与えられたら、どうでしょうか。きっと退屈きわまりないので、何か暇つぶし（気晴らし）を探し求めるはずです。たとえば、長年勤めた会社（気晴らし）を退職すると、他にすることがなくなって、別の気晴らしが必要となるようにです。

　では、気晴らしの原因ともいえる、人間の悲惨さとは何でしょうか。パスカルは人間の状況を「死刑囚」にたとえて、次のように語っています。

　　ここに幾人かの人が鎖につながれているのを想像しよう。みな死刑を宣告されている。そのなかの何人かが毎日他の人たちの目の前で殺されていく。残った者は、自分たちの運命もその仲間たちと同じであることを悟り、悲しみと絶望とのうちに互いに顔を見合わせながら、自分の番がくるのを待っている。これが人間の状態を描いた図なのである。(4)

　私たちはみな、死を免れることはなく、日々他の人たちが死んでいくのを目撃しています。その点では、パスカルの描いたイメージと変わりありません。
　ところが、こうした「死刑囚」であるにもかかわらず、これを見つめることは耐えられないので、人間はそれを考えないために、「気晴らし」を求めるのです。気晴らしがなかったら、退屈なだけでなくなんと恐ろしい人生になるでしょう。
　こうした人間のあり方を、**ハイデガー***は『存在と時間』の中で「死への存在」と呼びました。人間はまさに、死へと投げ出された存在であり、これを免れることができません。もし人間が、パスカルの言うような「気晴らし」に向かうとすれば、非本来的な「頽落（たいらく）」に陥った、とされます。
　ハイデガーとしては、こうした頽落から覚醒し、死をしっかり見つめ、本来性へ向かうこと（「先駆的決意性」と言います）を求めるのです。
　しかし、ハイデガーの生涯を見ますと、ナチスに加担したり愛人を何人も作ったりしたことから考えても、気晴らしには事欠かなかったのではないでしょうか。

パスカルの『パンセ』には、有名な文章がたくさんあります。たとえ
ば、「人間は考える葦である」とか、「クレオパトラの鼻」とか、「ピ
レネー山のこちらと向こうでは、善悪の基準がまったく変わる」など、
さまざまです。『パンセ』はモンテーニュの『エセー』と同じように、
人間研究の重要な文献とされていて、平易な文章で書かれていますの
で、読んでみることをおすすめします。

〉ブレーズ・パスカル：Basic 9 を参照
〉マルティン・ハイデガー：Basic10 を参照

人間の意識だけでなく、無意識にも光を当てよ

　人間の「心」を考える場合、たいてい意識に焦点が絞られます。

　たとえば、ぼんやりしている時でも、「何しているの？」と尋ねられたら、「ランチで何を食べようか、考えているんだよ」と答えることができます。

　この時、私の心は、私にしか分からない秘密の領域のように思えます。しかし、人間の心を考える時、はたして自分に知られている意識だけで十分なのでしょうか。

　たとえば、夢を考えてみましょう。時として、なぜあんな夢を見たのか分からない、といった経験はないでしょうか。自分自身ではまったく自覚していないのに、その人の心を強く支配しているものがあるかもしれません。これを、「無意識」と呼ぶことにしましょう。

　人間の心には、意識だけでなく、無意識もまた潜んでいるのではないでしょうか。

　こうした人間の無意識に光を当て、その構造を解明したのがジークムント・フロイト*です。彼は、19世紀末のウィーンで活動をはじめた精神分析学者です。自分では科学者と考えていましたが、哲学者と見なすこともできます。心の解明は、伝統的には哲学の仕事だったからです。

　フロイトの仕事を評価する時、しばしばコペルニクスやダーウィンに比肩されます。フロイトを含めた3人は、人間の傲慢さを批判する3つ

の革命を成し遂げた、と見なされたからです。

　コペルニクス革命では、地球中心の立場が批判され、ダーウィン革命によって、人間を他の動物とは違って特別視することが批判されました。さらにフロイト革命が、人間の心にかんする意識中心主義を打破したわけです。

図8　フロイトによる心の構造

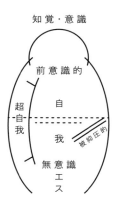

　フロイトによれば、**人間の心の広大な領域は「無意識」であって、「意識」はむしろ表面の狭い部分にすぎません。**しかも、厄介であるのは、「無意識」を突き動かすのが、非合理的な欲望であり、人間にとって制御するのが難しいことです。

　たとえば、「人はなぜ戦争をするのか」というアインシュタインの問いに対して、フロイトは次のように答えています。

　　人間の欲動には二種類ある。一つは、保持し統一しようとする欲動。（中略）これをエロス的欲動、（中略）性的欲動と呼んでもよい（中略）。もう一方の欲動は、破壊し殺害しようとする欲動。攻撃本能や破壊本能という言葉で捉えられているものである。(5)

　性的・エロス的欲動と破壊・殺害欲動が人間の無意識に備わっている
とすれば、人間にとって戦争を回避することは可能なのでしょうか。

　意識的な理性主義に訴え、平和を唱えたとしても、無力なのかもしれ
ません。とすれば、どうすればいいのでしょうか。

　フロイトの「無意識」概念を知ると、戦争や平和について根本的に再
考しなくてはなりません。

　しかしながら、これは戦争の問題だけに限定されません。**いままで哲
学は、「意識」をモデルにして、問題を考えてきました。**しかし、人間
の心の最奥に、「無意識」が潜んでいるとしたら、哲学そのものの改造
が必要になるかもしれません。

＞ジークムント・フロイト：19-20世紀のオーストリアの心理学者、精神科医。人
　間の無意識を解明し、精神分析学を提唱した。「エディプス・コンプレックス」をは
　じめ、重要な概念を開発して、後世の学問に大きな影響を与えた。

人間は人と人との間柄である

「人間」という言葉を聞いて、まず思い浮かぶのは、おそらく個体としての人間ではないでしょうか。

だとしたら、「人」だけで十分で、「間」は不要だと思われます。それなのに、「人」ではなく「人間」であるのは、いったいなぜでしょうか。

日本の哲学者和辻哲郎*は、『人間の学としての倫理学』において、「人間」を「じんかん」という読みの連想で、「人と人との間柄」と規定しました。(6)

和辻によれば、「人間」の基本的な意味は「人の間」すなわち「世の中」や「社会」であり、それが「俗に誤って人の意になった」のです。したがって、「人間とは何か」を問うとすれば、さまざまな人間関係や社会のあり方を明らかにしなくてはなりません。

こうした人間理解は、古代ギリシアの哲学者アリストテレス*によって表明されています。彼は『政治学』の中で、人間を神や他の動物と対比しつつ、次のように語っています。

> 人間は自然（本性）によってポリス的動物である。（中略）ポリスは、家やわれわれ各人よりも、自然（本性）によって先なるものである。なぜなら全体は必然的にその部分に先立つからである。（中略）共同することができない者か、あるいは自足しているので共同することを少しも必要としない

者は、決してポリスの一部分ではない。それは、野獣か神である。[7]（引用者訳）

　ここでポリスと語られているのは、現代では国家と読みかえることができます。そうすると、アリストテレスの文章は、「人間は本性上、共同して国家を形成する動物である。共同しないものは人間ではなく、動物か神である」と表現できるでしょう。

　今日では、「社会」と言えば、あらかじめ個々の「人」を前提し、そこから全体としての「社会」が形成される——おそらく、こう考えるかもしれません。ところが、アリストテレスはこのような考えを一蹴するのです。こうした共同性を度外視して、個人を取り出すことはできません。

　もちろん他方で、個人を無視して共同体だけを考えることもできません。そんな国家は幽霊のようなもので、どこにも存在しないのです。

　人間の共同体は、あくまでも人間相互の諸関係として形成されています。

　個人と社会は、いずれか一方だけで存立するわけではありません。**個人を考える時にはつねに社会を想定し、社会を考える時にはいつでも諸個人を念頭に置かなくてはなりません**。重要なのは、個人と社会がどう関連しているかを、具体的に解明することにあります。

Column

　和辻哲郎は、「人間」の意味だけでなく、「倫理」と「道徳」の違いも明らかにしています。彼によれば、「倫理」は「なかま」や「とも」を意味する「倫」が含まれるように、社会的な集団の規範を意味します。それに対して、「道徳」はあくまでも個人的な心がけであり、集団性は含んでいません。簡単に言えば、倫理は社会的な規範であり、道徳は個人的な心がけとなります。したがって、「人間の学としての

倫理学」というのは、人と人との間柄である「人間」が、社会的な集団規範として形成する「倫理学」なのです。和辻は、こうした漢字の語義をたどりながら、個人的な道徳より優れた社会的な倫理学を構想しようとしました。

> **和辻哲郎**：19-20世紀の日本の哲学者。日本に特有の共同意識にもとづいて、独自の「倫理学」を構想した。風土論は、日本文化論としても読むことができる。
> **アリストテレス**：Basic 2 を参照

人間はペルソナとして生きる

「人」を意味する英語「パーソン（person）」は、ラテン語の「ペルソナ（persona）」に由来しています。この「ペルソナ」は、もともと劇で使われる「仮面」の意味をもっていました。そこから転用されて、劇における「役割」や「役者」を指すようになった、と言われています。

その後、「ペルソナ」は劇との関連からも離れ、日々の生活にも使われるようになったのですが、「ペルソナ」の基本的な意味が「役割」にあることは変わらなかったのです。ところが、近代になると、「ペルソナ」の概念は、しだいに「役割」という意味を失っていきます。

「パーソン」は「物」と区別された「人物」を指す言葉になり、さらには「権利主体」や「行為主体」という意味を担うようになりました。今日、「パーソン」という言葉を聞いて、「役割」をイメージすることはほとんどないと思います。

こうした近代的な発想に異を唱え、「ペルソナ」の根源的な意味を取り戻そうとしたのが、ドイツの哲学者カール・レーヴィット*です。彼は、『共同存在の現象学（原題：共同人の役割における個人）』（1928）を出版し、個人を「ペルソナ」にもとづいて理解したのです。

その中で、ノーベル文学賞作家のイタリアのピランデルロの戯曲を使

いながら、レーヴィットは「人間的な個体は、『ペルソナ』という存在のしかたを有する個体であり、**本質的に、共にある世界に由来する一定の役割をおびて現実存在している**」[8] と述べています。

個人にとって、「役割」がどのような意味をもつか、具体的に考えてみましょう。たとえば、私が「息子」であるとすれば、それは両親にとってであり、夫であるのは妻に対してです。また、教師であるのは学生にとってであり、部下であるのは上司に対してです。

つまり、「**総じて根本的には、対応する他者たちによって自分自身として現実存在する**」わけです。こうして、他者たちに対するさまざまな「役割」を演じるという形で、人間は存在しているのです。

しかし、こうした役割概念の意義は認めるとしても、はたして個人を役割から離れて理解できないのでしょうか。この点で、レーヴィットが分析したピランデルロと、レーヴィット自身とは微妙な差異があるように見えます。

ピランデルロは、役割から離れて個人を考えることができない、と見なしています。劇中で、**私はつねに、他人にとっての存在であり、「私自身にとっては誰でもない」**と語らせています。

ところが、レーヴィットは「役割」の意義は認めつつも、そうした役割に解消されない個人の自立性を確保しようとしています。「役割」は、衣服のように着たり脱いだりできる外面的な道具なのでしょうか、それとも体に深く刻まれた印として着脱不可能なのでしょうか。これをどう評価するかは、「人間」理解の根本にかかわるように思えます。

Column

レーヴィットが分析したイタリアの作家ピランデルロの戯曲は、『（あなたがそう思うならば）そのとおり』（1917）というものです。この戯曲は、ポンザ氏とその妻（ポンザ夫人）、および姑のフローラ夫人の人間関係をめぐって展開されます。ポンザ氏の言い分では、現在のポン

ザ夫人は、先妻（リーナ）が亡くなったために再婚した相手（ジューリア）です。それに対して、フローラ夫人によれば、ポンザ夫人はフローラ夫人の娘（リーナ）であり、ポンザ氏には再婚という形でリーナと二度結婚させたことになります。劇は、このポンザ夫人が「ジューリア」なのか「リーナ」なのかで、クライマックスを迎えますが、最後のポンザ夫人の答えがさらに謎を呼ぶのです。「私は、ポンザ氏にとってはジューリア、フローラ夫人にとってはリーナです。私自身にとっては、何ものでもないのです。」

> **カール・レーヴィット**：19-20世紀のドイツの哲学者、哲学史家。ハイデガーから指導を受けたが、ユダヤ系のため亡命を余儀なくされた。日本でも一時、教鞭をとったことがある。

人間は欠陥動物である

　古代ギリシアのプラトン*は、対話篇『プロタゴラス』の中で、ギリシア神話で登場するプロメテウスとエピメテウス兄弟の話を取り上げています。

　それによると、神々が二人の兄弟を呼んで、「それぞれの動物にふさわしい装備・能力を与える」ように命じた時、弟のエピメテウスは兄に向かって「能力分配の仕事を自分一人にまかせてくれ」と頼みました。その結果、どうなったのか、プラトンは次のように書いています。

　さて、このエピメテウスはあまり賢明ではなかったので、うっかりしているうちに、もろもろの能力を動物たちのためにすっかり使い果たしてしまった。彼にはまだ人間の種族が、何の装備もあたえられないままで残されていたのである。彼はどうしたらよいかと、はたと当惑した。困っているところへ、プロメテウスが、分配を検査するためにやってきた。見ると、ほかの動物は万事がぐあいよくいっているのに、人間だけは、はだかのままで、履くものもなく、敷くものもなく、武器もないままでいるではないか。(9)

　弟のこうした過失を見かねて、兄のプロメテウスが人間のために、「技術的な知恵を火とともに盗み出し」たことは有名です。

　この話で何が問題になっているのでしょうか。一つは、**人間には他の**

動物のように、特別な装備や能力がなく、いわば「欠陥存在」であるこ
とです。寒さをしのぐ毛皮もなければ、空を飛ぶための羽も備わってい
ません。チータのように速く走ることもできなければ、ライオンのよう
な牙も持っていないのです。

　もう一つ確認すべきは、人間が「欠陥存在」であることから、それを
補うために「技術」を必要とすることです。「ホモ・ファーベル（工作人）*」
という人間規定がありますが、人間にとって技術は人間誕生の歴史とと
もに古いと言えます。技術やテクノロジーと言えば、最近の成果のよう
に見えますが、技術はむしろ、人間とともに存続してきたと言うべきで
す。

　それにもかかわらず、哲学ではいままで、技術はあまり問題にされて
きませんでした。むしろ、抑圧されてきたと言われることさえあります。
ところが、20世紀になると、技術が主題化されるようになったのです。

　その重要な仕事が、ドイツの哲学者アルノルト・ゲーレン*によって
なされました。彼は『人間——その本性および世界における位置』（原
書1940）を著わし、人間を「欠陥存在」と規定したうえで、そこから哲
学的人間学を展開したのです。

　また、つい最近亡くなった、フランスの哲学者ベルナール・スティグ
レール*は、大作である『技術と時間』を著わし、技術の根本的な意義
を力説しました。現代では、こうした技術論を抜きに、哲学を論じるこ
とができなくなっています。

Column

　スティグレールという哲学者は、とても変わった経歴の持ち主です。
1952年生まれですが、1968年の学生運動に巻き込まれ高校を中退
し、そのあと職を転々としながら、カフェバーを開くのですが、店の
経営に行き詰まり、酒と薬におぼれるようになります。その後、銀行
強盗をはたらいて禁固5年の刑に服すのです。刑務所に服役中に、哲

学に目覚め、通信教育で大学の学位を取得します。出所後、哲学者ジャック・デリダの指導の下で、博士論文を書くことになります。その後、彼は重要な著作を発表して、今日の地位を築きました。なんと壮絶な生き方でしょうか。ここから、哲学はいつからでも可能であること、またどこからでもはじめられることが、分かるのではないでしょうか。

> プラトン：Basic 2 を参照
> ホモ・ファーベル：「工作する人」という意味で、「ホモ・サピエンス」に対抗する形で、ラテン語の造語として作られた。古くから使われているが、20 世紀にはマックス・シェーラーやベルクソンなどが使っている。
> アルノルト・ゲーレン：20 世紀のドイツの哲学者。哲学的人間学を展開し、現代の保守主義にも影響を与えた。
> ベルナール・スティグレール：20-21 世紀のフランスの哲学者。メディアや技術に関する知識が豊富で、ライフワークとして『技術と時間』を発表したが、存命中には完成されなかった。

人間は理由を与え、求めるゲームを行なう

　伝統的には、人間を規定する時、「ロゴス」が一般に注目されてきました。「ロゴス」は、基本的に二つの意味をもっています。

　一つは「言葉」、もう一つは「理法」や「理性」です。

　したがって、人間を「ロゴス的動物」と言う場合、「言葉を使う動物」であるとともに、「理性をもつ動物」あるいは「理法に従う動物」と考えられます。

　こうした「ロゴス」の二義性をいかしながら、現代において「プラグマティズム」の再興を目指しているのが、アメリカの哲学者ロバート・ブランダム*です。彼は、人間と他の動物がどう違うのかを問い、そこから「われわれ」人間の特質について、**「理由に拘束された存在であり、よりよき理由という特有の力に服している」**[10]と規定しています。

　ここで「理由」というのは英語では「reason」ですが、これは同時に、「理性」をも意味します。したがって、「理由」があることは「合理的」であると同時に「理性的」でもあるわけです。

　ブランダムのアイデアは、こうした伝統的な理性（理由）概念を、言語によって相互に対話・議論し合う場面で理解しようとしたことです。20世紀の哲学は、一般に「言語論的転回」と呼ばれ、言語によって問題を考えていきます。

　ブランダムの哲学はこうした言語論的転回の系譜に立ちながら、それ

を伝統的な理性主義と統合しようとするものです。それを示すのが、「理由の空間」と言う概念です。

「理由の空間」と言う概念は、もともとは、20世紀中ごろアメリカで活躍した哲学者ウィルフリド・セラーズ*が提出したものです。これは、**言語によって、理由を与えたり、求めたりすること**です。

それがどれほどの射程をもつか理解するため、オウムと人間の違いを考えてみましょう。

たとえば、目の前の赤いものを見て、オウムが「これは赤い」と言う場面を考えてみましょう。この状況は、人間が「これは赤い」と言うことと、どう違うのでしょうか。

言っていることだけを見ると、いずれも同じ言葉を発声しています。しかも、違う色を見せれば、オウムだって「赤い」とは言いません。とすれば、違いはどこにあるのでしょうか。

ブランダムによれば、人間が「赤い」という言葉を発する時、たとえば「黄色ではない」とか、「色の一種である」とか、「緋色も赤い」といった推論を行なうことができます。それに対して、オウムが「これは赤い」と言っても、そうした推論ができません。

つまり、そうした推論を行なえるという点で、人間は「理由の空間」のうちにいるのですが、オウムはその空間に住むことができません。

人間のこうした言語使用から、哲学を考えると、何が見えてくるのでしょうか。ブランダムはそれを、規範的プラグマティズム*と呼んでいますが、これは現代哲学の重要な潮流になっています。

Column

オウムとサーモスタットと人間の違いを考えてみましょう。オウムもサーモスタットも、周りの環境に対して、適切に対応できます。人間に教えられたオウムは赤いものを見て「赤い」と言い、青いものを見

て「青い」と言います。また、サーモスタットは、外界の温度が熱い
と金属が膨張してエアコンの温度を下げるスイッチを入れ、温度が下
がると収縮して温度を上げるように調整します。しかしながら、それ
らのものは、人間のように推論することができないのです。環境に対
して適切に対応できるかどうかだけでなく、その理由を尋ねたり、答
えたりする能力が、人間には備わっているのです。これが伝統的には、
人間が「理性的」と呼ばれる根拠にもなっていました。

> **ロバート・ブランダム**：20-21世紀の存命するアメリカの哲学者。リチャード・ロー
ティの教え子として、プラグマティズムを推論主義にもとづいて再構成している。
1994年に発表された『明示化』は未邦訳であるが、規範的プラグマティズムの代
表作として、すでに高く評価されている。
> **ウィルフリド・セラーズ**：20世紀のアメリカの哲学者。戦後アメリカを代表する哲
学者の一人とされている。分析哲学とプラグマティズムをつなぐ重要な哲学者であ
る。主著として『経験論と心の哲学』が有名。
> **規範的プラグマティズム**：現代アメリカの哲学者ロバート・ブランダムが提唱する
立場。人間のコミュニケーションを「理由」を与えたり求めたりするゲームと考え、
考える際の規範（「こう考えるべき」という理由）を重視する。

「人間」はまもなく終焉する？

　哲学の問題を、「人間」からはじめる時、無視できない主張があります。それは、20世紀フランスの哲学者ミシェル・フーコー＊が提示した「人間の死」というテーゼです。彼は、1966年に発表した『言葉と物』の最後で、次のように書いています。

> 　ともかく、ひとつのことがたしかなのである。それは、人間が人間の知に提起されたもっとも古い問題でも、もっとも恒常的な問題でもないということだ。（中略）人間は、われわれの思考の考古学によってその日付けの新しさが容易に示されるような発明にすぎぬ。そしておそらくその終焉は間近いのだ。（中略）人間は波打ちぎわの砂の表情のように消滅するであろうと。(11)

　いったい「人間の死」という言葉は、どんな意味で使われているのでしょうか。時として誤解されますが、生物としての人間が絶滅することではありません。ここで語られているのは、あくまでも概念としての「人間」であり、具体的には「人間」を中心として物事を理解する発想法や考え方のことです。

　フーコーによれば、それは近代によって導入され、直接的にはカントが表明したものです。Basic11（「すべての問いは人間へとさかのぼる」）で述

べましたが、人間の立場からすべてを考える視点が、カントによって導入されたのです。

　歴史的に見ると、この近代的な人間の立場は、ニーチェが宣言した「神の死」によって引き起こされました。

　あるいは、ニーチェ自身も語るように、人間が「神を殺害する」ことによって、人間中心の考えが成立したとも言えます。近代以前に「神」が中心であった世界から、人間が「神を殺す」ことによって、近代的な人間中心の考えが成立したわけです。

　ところが、フーコーによると、こうした近代的な人間中心の時代が、まもなく終わりを迎える、というわけです。カントを起点と考えるならば、人間が中心となった時代は、18世紀末から20世紀末ということになります。系列化すれば、神の死→人間の誕生→人間の死と表現できるでしょう。

　では、フーコーが言明した「人間の死」というのは、具体的にどう理解すればいいのでしょうか。その手がかりになりそうなのが、現代ドイツの哲学者ペーター・スローターダイクの思想です。

　彼は1999年に発表した『「人間園」の規則』の中で、フーコーの「人間の終わり」というテーゼを「ポスト人間主義」と考えて、21世紀の方向性を打ち出しています。スローターダイクによれば、ポスト人間主義は、一方でバイオテクノロジーを活用することで「人間の超克」を図り、他方でデジタル情報技術によって近代的なヒューマニズム（人文主義）を乗り超えていきます。

　こう考えると、「人間の終わり」というテーゼも、けっこう現実味を帯びてくるのではないでしょうか。

＞ミシェル・フーコー：20世紀のフランスの哲学者。自分の思想の発展に応じて、構造主義からポスト構造主義へと変化し、フランス現代思想の中心となってきた。1966年に発表した『言葉と物』では、「人間の死」を宣言し、注目された。

知識

Chapter2 ——————— Knowledge ———————

何を知りえるか

　人間の心の働きは、しばしば3つに区分されてきました。

　カント*の時代（18世紀後半）では、心の働きは知・情・意に区分され、それを下敷きにして、有名な3批判書（『純粋理性批判』（知）、『実践理性批判』（意）、『判断力批判』（情））が書かれます。

　それに対して、古代のプラトン*では、「魂の3区分」は、知性的部分・気概的部分・欲望的部分とされ、この区分にもとづいて、国家も支配者階級・補助者階級・一般的国民に分割されます。

　カントとプラトンが示した区分は、必ずしも厳密に一致するわけではありません。しかし、いずれの区分法でも、「知性」に高い評価が与え

られているのは、共通と言えます。というのも、人間にとって、何より
も「知性（知ること）」が、もっとも根本的だからです。

　そのため、アリストテレスは、『形而上学』の冒頭を「知ること」か
らはじめ、「すべての人間は、生まれつき、知ることを欲する」(1)と述べ
ています。

　ただし、**アリストテレス***が「知る」という場合、単に知性的なこと
だけでなく、感覚にまで広げていることに注目してください。そのため、
人間の「知への欲求」を理解するには、感覚にまで光を当てることにな
ります。

　歴史的に見ると、感覚と知性のいずれを強調するかによって、**経験主
義***と**理性主義**の対立が描かれてきました。一方の経験主義は、感覚か
ら出発して、そこから知性的に何が理解できるかを論じてきました。

　これに対し、もう一方の理性主義は、感覚を退け、知性による認識を
真理と見なしてきました。

　この対立は、決して過去の話ではなく、現代でもくりかえされていま
す。そこでいま必要なことは、対立の一方だけでなく、両者の考えやそ
の論拠などを知ることで、無用な誤解や混乱を回避することです。

　この章では、現在でもよく目にする議論を取り上げますので、具体的
な問題を考える時、参考にしてください。

> **イマヌエル・カント**：Basic 1 を参照
> **プラトン**：Basic 2 を参照
> **アリストテレス**：Basic 2 を参照
> **経験主義**：Basic 7 を参照

物事の
現象ではなく、
本質をつかめ

　新しい出来事に直面した時、多くの場合、その現象に目を奪われ、そこに潜む本質をつかみそこねます。

　たとえば、大きな社会的変動が起こった時、出来事の一つひとつに敏感に反応し、右往左往することがあります。しかし、その本質——出来事の根本的な原因（根拠）が何であるのか——はなかなか理解できないのです。

　こうした状況を説明するため、プラトン*は『国家』の中で、有名な「洞窟の比喩」を持ち出し、知識のモデルを提示しました。それによれば、人間は洞窟で手足を縛られ、振り向くことができずに、壁にうつる実物の「影」しか見ることができません。人間はその「影」を実物だと思い込み、本当の真実を知ることができない、というわけです。

　このような洞窟の囚人状態から解放して、人間を真実へと向かわせるのが、「哲学」の役割だとプラトンは考えました。それでは、現象（影）と区別された「本質（実物）」とは、いったいどんなものでしょうか。

　プラトンの場合には、物事の本質は「イデア」と呼ばれたのですが、これは現在の「アイデア（idea）」のもとになった言葉です。プラトンは、こうしたイデアが人間に生得的（本来備わっている先天的なもの）だと考えました。

　たとえば、「犬とは何か（犬の本質）」を考える時、ポチやタローといった個々の犬を集め、そこから共通の特質を取り出せば、「犬の本質」が得られる、と思われるかもしれません。こうした説明は、意味の抽象理論と呼ばれます。

　しかし、そもそも「犬の本質」を知らない人が、どうやって個々の犬を集めることができるでしょうか。また、集めたとしても、何が「犬」にとって共通だと分かるのでしょうか。

　このやり方が可能であるためには、人間があらかじめ「犬の本質（イデア）」を知っていなければならない——こんなふうに、プラトンならば主張するのです。

　とはいえ、物事の本質（イデア）が生得的に知られる、という考えには、厳しい批判が突きつけられてきました。

　その急先鋒が、プラトンの弟子アリストテレス*によって行なわれています。彼は『デ・アニマ（魂について）』の中で、「可能性のうちにある知性は、現実性においてはまだ、何も書かれていない書板のようなものである」[2]と語っています。

　この「書かれていない書板」が、後にラテン語で「タブラ・ラサ（白紙）」として有名になりました。**人間の心は、最初はまだ何も書かれていない「タブラ・ラサ（白紙）」の状態であり、経験を通してそこに知識が書き込まれていく**のです。そのため、生まれる前から「イデア」をもっていると考えることは、認められないというわけです。

　プラトンとアリストテレスのような対立は、歴史的に何度もくりかえされてきました。したがって、この対立の一方に性急な答えを求めるのではなく、まずはこの対立がどうして起こるのか、その根拠を理解することが重要です。

＞プラトン：Basic 2 を参照
＞アリストテレス：Basic 2 を参照

偏見を排して、経験から考えよ

　人間の知識は、いったい何の役に立つのか。理論や学問に対して、こう問いかけたくなるのではないでしょうか。もし哲学が単なる暇人の道楽ではないとしたら、その有効性は何なのか教えてほしい、と言いたくなります。

　それに対して、イギリスの哲学者フランシス・ベーコン*は、「知は力なり」という格言を残しています。ベーコンはシェークスピアと同時代人で、二人とも謎の多い人物ですので、時として同一人物説が唱えられることもありましたが、真偽のほどは不明です。また同名の現代画家もいますので、ベーコンには少しばかり注意が必要です。

　ベーコンはこの格言を『ノヴム・オルガヌム（新しいオルガノン）』の中で述べています。「オルガノン」というのは道具という意味で、その著作は考えるための道具を問題にしています。歴史的には、アリストテレスの論理学的な著作群が『オルガノン』と呼ばれたことに由来します。ベーコンは、アリストテレスの刷新をもくろむのです。「知は力なり」という言葉で、ベーコンは何を伝えようとしているのでしょうか。

　人間の知識と力は一致する。というのも、原因を知らなければ、結果を生み出すこともできないからだ。自然を支配するためには、自然に仕えなければならない。思索における原因は、作業における規則に対応する。(3)(引

用者訳）

　たとえば、自然現象にかんして、その原因を知らなければ、自然の猛威に晒されるだけで、それを支配することはできません。同様に、対人関係でも、他人の心や行動の原因を知らなければ、その人をうまく制御できないでしょう。

　そうした知を得るには、どうすればいいのでしょうか。

　ベーコンが示したのは、二つの方法でした。その一つは、「イドラ」を取り除くことです。「イドラ」とは、「偶像」や「幻影」などと訳されますが、現代の「アイドル」の語源にもなっています。ベーコンによれば、「イドラ」は人間が誤ってもっている「先入観」で、4つに分けられています。

　①種族のイドラ（自然性質によるイドラ）
　②洞窟のイドラ（個人的イドラ）
　③市場のイドラ（伝聞によるイドラ）
　④劇場のイドラ（権威のイドラ）

となります。名前を見ただけで、イメージが湧くのではないでしょうか。

　知を得るためのもう一つは、実験や観察にもとづいて、帰納法を行なうことです。中世では、一般的な前提から出発して、個別的な結論を導く演繹法がしばしば使われてきました。それをベーコンは批判して、経験にもとづきながら、個別的な事例から出発して、段階的に一般的な規則へと導くような帰納法を提唱したのです。

　そのためベーコンは、その後に続くイギリス経験論の始祖と見なされています。経験論では、先入観を排して、帰納法にもとづきながら、経験の中で法則的な知識を得ることが目指されます。

経験主義と理性主義の対立は、近代ではしばしば地域的な対立として、イギリス経験論と大陸合理論*の対立のような形で理解されてきました。この中で直接的な論争が、イギリスのジョン・ロック*とドイツのゴットフリート・ライプニッツ*によって繰り広げられています。

ロックは『人間知性論』を著わし、人間の知識が感覚と経験に由来することを力説して、イギリス経験論の代表的な哲学者と見なされています。この考えに真っ向から対立したのが、ライプニッツの『人間知性新論』です。タイトルを見るだけでも、ライプニッツの意向がよく分かります。この本でライプニッツは、経験論に対する批判として次の名文句を語っています。

「感覚のうちになかったものは知性のうちには何もない。ただし知性それ自身を除いて」⁽⁴⁾（引用者訳）

> **フランシス・ベーコン**：16−17世紀のイギリスの哲学者。イギリス経験論の始祖と目され、「知は力なり」という名言がある。「イドラ」という概念もよく知られている。
> **大陸合理論**：近代哲学を分類する時、イギリス経験論に対抗する流れとして、大陸合理論が提示される。デカルトを筆頭に、スピノザ、ライプニッツなどがこの流れに属すとされる。数学的な真理をモデルとした、理性的な認識を尊重する。
> **ジョン・ロック**：Basic 7 を参照
> **ゴットフリート・ライプニッツ**：Basic 7 を参照

われ思う、ゆえにわれあり

Basic22

見たり、聞いたり、感じたりしている世界は、実際にもそのようなあり方をしているのでしょうか。本当は、単にそう思われているだけで、もしかしたらまったく違うのかもしれません。私にとっての見え方と、あなたにとっての見え方は同じなのでしょうか。

たとえば、目の前の花を見て、「きれいな赤い花だね」と言ったとします。ところが、そばにいる人が「え？　私にはそう思えないね」と語ったとすれば、どうでしょう。二人には、赤い花が同じように見えているのでしょうか。あるいは、同じように見えてはいるが、感じ方が違うだけなのでしょうか。それとも、見え方そのものが、違っているのでしょうか。そもそも同じなのか違うのかを、どうやって確かめることができるのでしょうか。

こう考えた時、フランスの哲学者ルネ・デカルト*が語った、「われ思う、ゆえにわれあり」という言葉が、大きな意味をもってきます。『省察』の中で、デカルトは絶対確実だと言える知識を得るために、いままで自分がもっている知識をいったん疑い、それが真実かどうか吟味します。これが「方法的懐疑」と呼ばれるものです。

そのためにデカルトは、まず感覚的知識を検討し、それがしばしば間違いであることを確認します。次に数学的知識をふるいにかけ、それもまた間違いである可能性にいたるのです。こうした議論で登場するのが、

いわゆる「夢の懐疑」と呼ばれるものです。夢と現実が区別できるのか、問題となります。

さらに、デカルトは、懐疑を徹底化するために、「欺く神」という想定をします。それは次のようなものです。

> この神は、いかなる地も、天も、延長するものも、形も、大きさも、場所もまったくないのだが、しかし私には、これらすべてがいま見えているとおりに存在していると思われる、というふうにしたかも知れないではないか？[5]

たとえば、目の前の図形を見て「四角形」と言い、「2＋3＝5」と答える時、それがまったく間違いであるように神が仕向けた、というわけです。ここまでくれば、正しい知識など何もない、と言いたくなります。

このように、あらゆる知識を疑った結果、デカルトはどこに行きつくのでしょうか。彼が最終的に獲得するのは、「疑っている私自身は存在する」という確信です。それを表現したのが「われ思う、ゆえにわれあり」という言葉です。有名な箇所ですので、その表現が出てくる『方法序説』から引用しておきます。

> 私は気づいた、私がこのように、すべては偽である、と考えている間も、そう考えてる私は、必然的に何ものかでなければならぬ、と。そして「私は考える、ゆえに私はある」というこの真理は、懐疑論者*のどのような法外な想定によってもゆり動かしえぬほど、堅固な確実なものであることを私は認めたから、私はこの真理を、私の求めていた哲学の第一原理として、もはや安心して受け入れることができる、と判断した。[6]（引用者訳）

「すべてが疑わしい」ということから一転して、このように疑うことそのものが、「私は存在する」ことを証明する、と主張するわけです。

そして、いったん確立した「われ思う」から、デカルトはそれ以外の真理も基礎づけていこうとするのです。こうしたやり方は、かなりアクロバット的な論証なので、今日でさえも、これをめぐって議論が続いています。

Column

デカルトの議論から導かれるものとして、<u>錯覚論法</u>という議論があります。たとえば、真上から100円玉を見ると「円形」であるが、斜めから見ると「楕円」であると言う時、どう考えたらいいか、という議論です。

「100円玉は本当は『円形』をしているが、斜めから見ることで『楕円』に見えるように錯覚する」と言うべきでしょうか。しかし、「円形」もまた、一つの見え方ではないでしょうか。つまり、「真上から見ると『円形』に見え、斜めから見ると『楕円』に見える。いずれも見え方の差であり、どの見え方が本当というわけではない」というわけです。

さて、こうした二つの語り方のうち、いずれが説得的に感じたでしょうか。

> **ルネ・デカルト**：Basic 12 を参照
> **懐疑論者**：古代ギリシア以来、人間の認識に対して、確実な真理や認識を否定するのが懐疑論であり、否定の仕方に応じてさまざまな立場がある。

「コペルニクス的転回」とは何か？

　従来の発想で試行錯誤しても打開できない時、どうしたらいいでしょうか。おそらく、その発想そのものを、根本的に転換しようと試みるのではないでしょうか。このようにいままでの考え方を180度正反対に変えることを、しばしばコペルニクスにちなんで、「コペルニクス的転回」と言います。

　この表現のもとになったのは、カント*が『純粋理性批判』の中で遂行した哲学革命です。彼によれば、「これまで、すべて私たちの認識は対象に従わなければならないと想定された」のですが、この前提の下ではうまくいかなかったのです。そこで彼は、次のように提言します。

> はたして私たちは形而上学の諸課題において、対象が私たちの認識に従わなければならないと私たちが想定することで、もっとうまくゆかないかどうかを、いちどこころみてみたらどうであろう。（中略）この事情は、コペルニクスの最初の思想と同じものであって（略）。[7]

　やや難しい表現になっていますが、図式化するとよく分かります。以前は、「認識は対象に従う」となっていましたが、カントはそれを逆にして「対象は認識に従う」と提案したわけです。

　有名なニュートンの場合で、説明しましょう。以前の考えだと、①の

ように、対象（リンゴが木から落ちる）を見て、認識（万有引力を考える）が
成立します。これに対して、コペルニクス的転回によって、カントが提
唱したのは、②のように、認識（万有引力という考え）があって、はじめ
て対象（リンゴが木から落ちる）の意味が分かるのです。

図9　認識は対象に従うのか、対象は認識に従うのか

　この対比は、どんなことを意味しているのでしょうか。カントは数学
や自然科学の考え方をモデルにしていますので、それを使って説明しま
しょう。

　以前の考え方（①）は、対象をじっくり観察して、そこから対象のあ
り方を学ぼうとしました。しかし、対象を眺めていれば、必ずしも正し
い答えが得られるわけではありません。そこでカントは、②のように、
**対象を眺める時、あらかじめ自分たちの考え（たとえば仮説）を使って、
それが正しいかどうか確かめよう、と提案するのです。**どんな仮説を
もっているかで、対象の理解の仕方が変わるからです。

　こうした考え方の転換をカントは、生徒として教師である対象から学
ぶのか、それとも、裁判官のように被告人である対象に、自分たちの仮
説を投げかけ、尋問して対象に真実を語らせるのか、の違いとして説明
します。実際、こちら側に適切な考えや仮説などをもっていなければ、
対象から真実を引き出すことは難しいと言えます。

カントの場合、人間がもっている考えや仮説は、人間に共通の概念や
カテゴリーとされますが、もっと具体的にサングラスと考えると分か
りやすいかもしれません。緑色のサングラスをかけて対象を見れば緑
色に見えるように、私たち人間も対象を理解する時、それぞれ固有の
認識装置をもっていて、それが対象の認識を可能にする、というわけ
です。

こうした考えを現代では、「構築主義*」とも呼んでいます。対象の認
識は、人間によって構築されたものだからです。

構築主義の考えは、最近では、哲学だけでなく他の領域にも浸透し、
多様な形をとっていますので、構築主義と気づかずに受け入れている
かもしれません。

> **イマヌエル・カント**：Basic 1 を参照
> **構築主義**：現代では、社会構築主義として使われるようになった言葉。現実や事実が、
　人間の社会的な関係によって構築されるという考えで、カントの認識論にもとづい
　て形成され、その後さまざまな理論が加味されている。

よく知られている ことは、必ずしも よく認識されて いるわけではない

Basic24

　生活であれ、仕事であれ、ふつうは社会通念や常識に従うことが最低限わきまえるべき要件だと見なされています。一般的に通用している知識をまず身につけることが先決で、応用はその後だというわけです。

　ところが、そうした知識や常識が、私たちにとって妨げになることも少なくありません。あるいは、そこまでいかなくても、そうした知識がどのような根拠をもっているのか、必ずしも十分理解されているわけではありません。その時、ヘーゲル*が『精神現象学』で示した警句を、ぜひ思い出してください。

> よく知られていることがらは一般に、（中略）よく知られているからといってよく認識されているわけではない。認識する場合、或るものをよく知られたものとして前提し、認めてしまうことは、一般によく行われていることだが、それは（むしろ）自己欺瞞であり、他人を欺くことである。[8]

　現代のような情報化社会では、「よく知られているもの」は日ごとに膨大になっています。それを知らずに生活すれば、社会で取り残されていくように思えます。そのため私たちは、社会で「よく知られているもの」をたえず検索し、それを取り入れることに余念がありません。

　しかし、そうした知識が、はたして正しいかどうかは、まったく別問

題です。いままでの常識にとらわれていたら、間違った方向に進んでしまった、という経験はないでしょうか。「よく知られている」ものが、むしろ私たちに制限を加えているかもしれません。したがって、**「よく知られたもの」に対する過信は禁物です**。哲学がしばしば常識を疑うのは、まさにここに理由があります。

とはいえ、そうした「よく知られていること」を、まったく無視したり、完全に排斥したりすることは、そもそも不可能ですし、あまり生産的でもありません。時間的な順序から言えば、「よく知られていること」を身につけることが最初の段階です。

しかし、そこにとどまり続けるのではなく、その知識に疑いをもち、そこから何が本当に正しいのか、検討することへ向かわなくてはなりません。これをヘーゲルは、「認識すること」と呼んだのです。「よく知られているもの」から「認識されたもの」へ向かうこと、ここに哲学が求められる理由があります。

Column

ヘーゲルによると、人間は自らが生きる社会や時代の影響を強く受けるので、それを飛び越して理想を語ることができない、とされています。そのため、哲学の課題は、そうした時代の本質的なあり方を概念によって理解することにある、と言われました。

こうした文脈で、『法の哲学』の序文において、有名な言葉「ここが**ロドス***だ、ここで跳べ！」が表明されました。これはもともと、『イソップ物語』のなかの一つの寓話から取ってこられたものですが、日本では時々誤解されて引用されることがあります。

名言はいろいろな機会に使いたくなりますが、その意味については、必ず文脈を確認しておいた方が無難です。

> **ゲオルク・ヴィルヘルム・フリードリヒ・ヘーゲル**：18-19世紀のドイツの哲学者。
  ドイツ哲学の完成者と言われ、その哲学を批判することから現代の哲学がはじまっ
  た。歴史を貫いて発展する「精神」に着目し、哲学において歴史哲学の意義を強調
  した。
> **ロドス**：エーゲ海にある島。『イソップ物語』で、ロドス島での話が出てくる。この
  話をヘーゲルが『法哲学』序文で使い、マルクスも皮肉交じりに言及して有名になっ
  た。

概念や理論が物事にどんな影響をおよぼすかを知れ

　プラグマティズム*と言えば、かつて日本では実用主義とか道具主義と訳され、評判があまりよくありませんでした。その場の都合によって、考えをころころ変える打算的な考え（実利主義）と見なされることもありました。ところが最近では、プラグマティズムの意義が少しずつ理解され、昔の訳語も使われなくなりました。

　プラグマティズムはもともと、19世紀後半にアメリカで起こった哲学で、その後もアメリカを中心に展開してきました。その点で、プラグマティズムは、アメリカ土着の思想と考えることができます。しかしいまでは、プラグマティズムは世界的に評価され、現代を牽引する思想の一つと見なされています。プラグマティズムは何を主張するのでしょうか。

　創始者のチャールズ・パース*が定式化した「プラグマティズムの格率」を見てみましょう。

　　ある対象の概念を明確にとらえようとするならば、その対象が、どんな影響を、しかも実際的な意味をもつと考えられるような影響をおよぼすと考えられるか、ということをよく考察してみよ。そうすれば、こうした影響についての概念は、その対象についての概念と一致するのである。(9)

　たとえば、あるものが「硬い」と言われる場合、それは「多くのもの
に引っかいて傷をつけられるようなことはない」ということです。ある
いは、「重い」ということは、「その物体を上に引き上げる力がなければ、
それは下に落ちる」ということなのです。このように、具体的に「どの
ような影響をおよぼすか」という観点から、「概念」が理解されるので
す。

　この考えは、哲学や思想を理解する場合、きわめて有益な視点を提供
するのではないでしょうか。たとえば、哲学ではしばしば抽象的な概念
が使用され、その意味が明確に理解できないことが少なくありません。
その場合、プラグマティズムの格率によって、その概念が具体的にどん
な影響をおよぼすか、説明を求めることができます。

　この格率は、概念だけでなく、理論にかんしても同じように適用する
ことができます。ある人の考えや、抽象的な理論を聞いた時、それにつ
いてどう判断するか迷うことがあります。その時には、はっきりと「**そ
れがいったいどんな影響をおよぼすか**」尋ねなくてはなりません。

　簡単に言えば、「それでどうなるのか？」「そう考えると、どんな違い
が生じるのか？」と質問するわけです。新しい考えや理論が、影響とし
て何も生み出さないとすれば、おそらくその価値はほとんどない、と結
論づけてもいいでしょう。

　19世紀末に始まったプラグマティズムは、21世紀の現代でも新たな
観点から復興しています。日本ではあまり馴染みがなかったのですが、
今後は重要な哲学としてますます注目されるのではないでしょうか。

Column

　20世紀の後半、アメリカにおいてプラグマティズムの意義を力説し、
その世界的なブームを引き起こしたのが、**リチャード・ローティ**＊
（1931-2007）です。1982年に発表された『プラグマティズムの帰
結』の中で、彼はすべての学問の上に君臨するような「大文字の哲学

（Philosophy）」は終焉した、と宣言しました。

この宣言とともに、いままで長いあいだ哲学を支配してきた、イギリス経験論と大陸合理論といった不毛な対立を終息させよう、と提言したのです。こうして、ローティは、プラグマティズムをアメリカの土着思想というより、むしろ世界的な流行思想にしたわけです。現代では、プラグマティズムを実用主義として軽く扱えば、不見識が露呈することになります。

> **プラグマティズム**：19世紀末にアメリカで生まれ、現代のアメリカ哲学にも影響を与えている思想。以前は、実用主義や道具主義と訳されたが、現在ではそのまま「プラグマティズム」とされている。思想や思考が行為と結びつくことを主張し、実践との関係において哲学する必要性を説く。
> **チャールズ・パース**：19-20世紀のアメリカの哲学者。プラグマティズムの創始者であり、論理学や数学にも功績があり、記号学にも寄与している。
> **リチャード・ローティ**：Basic 8 を参照

暗黙知に光をあてよ

　大勢のなかに、知り合いがいた場合、私たちはその人の顔にすぐ気がつきます。その時、「どうして分かったのか」と聞かれても、うまく説明できないのです。「だって、あの顔は彼女（彼）以外にはない」と言うしかありません。

　私たちは、その人の顔を知ってはいるのですが、言葉で説明しようとすると、うまく語れないのです。こうした知識をハンガリー出身の哲学者マイケル・ポランニー*は、「暗黙知」と呼んでいます。

> 　人間の知識について再考する時の私の出発点は、われわれは語ることができるより多くのことを知ることができる、という事実である。この事実は十分に明白であると思われるかもしれない。しかし、この事実が何を意味しているかを正確に述べることは簡単ではない。(10)（引用者訳）

　自転車の乗り方について考えてみましょう。子どものころ、何度か倒れたり、他の人に補助してもらったりしながら、私たちはいつの間にか自転車に乗れるようになります。当然、自転車の乗り方を知っているわけです。

　ところが、それがどんなものか、言葉で説明しようとすると、うまくできません。

こうした知識を、イギリスの哲学者ギルバート・ライル*は『心の概念』の中で、二つの知識の区別によって提示しています。その一つは「方法の知識（knowing how）」であり、もう一つは「事実の知識（knowing that）」です。

　たとえば、足し算を知っている、ということは具体的な問題（2+7＝?）が与えられた時、正しい答えが出せることです。言うまでもなく、算術の原理を説明できることではありません。

　これは「方法の知識」であり、日本語でも「ノウハウ」と表現されています。

　ライルはこうした能力を「ディスポジション（傾向性、かまえ）」と呼ぶのですが、これは「もし（If）具体的な問題が与えられたら、その時は（then）正しい答えを出すことができる」という構造（If…then）をもっています。私たちはこうした実践的な知識をたくさんもっていますが、それを言葉（事実の知識）によって、十分に説明できるわけではありません。

　このタイプの知識は、一般には技能を習得する場面で、重要になります。「アタマではなくカラダで覚える」などとも言われます。訓練のように実際にやってみて体得するほかにないのです。

　問題は、言葉で説明可能な明示的な知識と、こうした「暗黙知」との関係をどう理解するかという点にあります。この両者は、どのようにつながっているのでしょうか。また「暗黙知」を伝えるには、どうすればいいのでしょうか。

　仕事の場面でも、大切なことは言葉で伝えることができず、実践的な経験の中で、いわば体得するしかないことが少なくありません。こうした「暗黙知の次元」はきわめて重要なのですが、その解明は必ずしも十分に進んでいるとは言えません。

Column

　「暗黙知」は必ずしも、訓練のように何度もくりかえす必要がない場

合もあります。たとえば、ある人の兄弟や父母などを見ると、その人と「どことなく似ている」と感じます。厳密にどこが似ているか特定できなくても、全体として与える印象が、その人に「そっくり」なわけです。こうした「家族的類似性」という概念を、ヴィトゲンシュタインが議論したことがあります。そう考えると、「暗黙知」というのは、私たちの知識において地盤のような役割をしているのが分かります。このような、いわば直観的な知識にもとづいて、個々の明示的な事実についての知識が成り立っているとすれば、暗黙知の研究がもっと必要だと分かるのはないでしょうか。

> **マイケル・ポランニー**：19–20世紀のハンガリー出身の哲学者、社会科学者。1966年に出版された『暗黙知の次元』が有名。もともとは科学者であり、アインシュタインやノイマンとも交流があった。ユダヤ系のため、1933年にイギリスに亡命した。第二次大戦後になって、社会科学の分野に転向し、「暗黙知」の概念を提唱した。

> **ギルバート・ライル**：20世紀のイギリスの哲学者。日常言語学派を代表し、心身二元論を批判して行動主義を提唱した。その時に使った「機械のなかの幽霊」というレトリックは有名。

アメリカの科学史家トーマス・クーン*が『科学革命の構造』の中で提唱した、「パラダイム*」という言葉ほど、20世紀に影響を与えた概念はありません。専門の科学史だけでなく、哲学を含め人文学の分野でも広く使われ、さらには文化や風俗の分野でさえブームとなったのです。たとえば、「今年のネクタイは、去年とはまったく違ったパラダイムによって製作されている」というように。

ところが、「パラダイム」概念が大流行するのとは裏腹に、その言葉を提唱したクーン自身は『科学革命の構造』第二版で、「パラダイム」を使うのをやめてしまったのです。もともと、その概念は曖昧だとして多くの批判に晒されていました。明確になる前に、本人が使わなくなったのです。しかし、影響の大きさを考えて、ここでは概念の厳密な定義よりも、その一般的な使われ方に眼を向けることにします。

クーンは自然科学の歴史を説明するため、科学研究を導く「パラダイム」に着目したのですが、この時「パラダイム」というのは、模範となる例（見本例）を意味しています。そこから、一般的には「考え方の基本的な枠組み」、「概念枠」、「知的準拠枠」のように拡大解釈されるようになりました。物事を知る時、私たちは自分たちの「パラダイム」に従って理解する、というわけです。

「パラダイム」概念を使うことで、クーンは自然科学の歴史を二つに分

パラダイムが異なると、違った星に住んでいる

けることにしました。一つは「パラダイム」が根本的に変換する時であり、これを「科学革命」と呼びます。もう一つは、「パラダイム」に従って科学が発展する段階で、これは「通常科学」の時期と呼ばれます。クーンの見方を図式化すると、次のようになります。

> 科学革命（パラダイム転換）→通常科学（パラダイムに導かれた活動）の発展→変則事例の出現→競合するパラダイムの出現→科学革命（新パラダイムの提唱）[11]

　クーンが「パラダイム」概念を提唱したころ、同じ科学史家のN.R.ハンソンは「理論負荷性」という概念を提唱し、科学的観察や実験においてさえも、あらかじめ「理論」が先行することを力説しました。ハンソンが『科学的発見のパターン』の中で使った図を見ながら、その考えを理解することにしましょう。[12]

　たとえば、①の図では、若い女性に見えるか、老女に見えるか、二つの見え方が可能です。②も同じように、二人の人の顔に見えたり、あるいは花瓶に見えたりします。見え方が違うのは、クーンの概念を使えば、「パラダイム」が違うからです。また、ハンソンは、③の図を提示していますが、これは何に見えるでしょうか。ハンソンが言うように、「人の顔」という理論が負荷されれば、人の顔が見えてくるでしょうか。人によって、違いがあるようです。

　ここから、結論として、いったい何が出てくるのでしょうか。クーンによれば、「パラダイム」は一定の集団に共有されるもので、パラダイムが同じ時は相互に理解し合うことができます。ところが、パラダイムが異なれば、相互理解がきわめて難しくなるのです。それをクーンは、「パラダイムが異なれば、違った星に住んでいる」と表現するのですが、はたして人間はそれほど相互理解が難しいのでしょうか。

図10 概念や言葉による見え方の違い

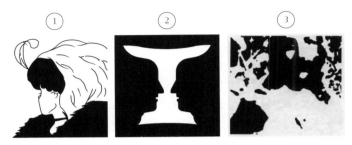

出所：①yukeee／PIXTA（ピクスタ）、②ぺかまろ／PIXTA（ピクスタ）、③N. R. ハンソン『科学的発見のパターン』講談社学術文庫

　こうした考えを、科学哲学者の**カール・ポパー***は「準拠枠（フレームワーク）の神話」と呼んで批判しています。[13] これは、科学を理解する場合だけでなく、異なる文化間での理解についても問題になります。グローバル化が進展した今日、あらためて検討する必要がありそうです。

> **トーマス・クーン**：20世紀のアメリカの科学史家、科学哲学者。1962年に発表した『科学革命の構造』は、世界的な話題となり、彼が使った「パラダイム」という言葉は流行語にもなった。科学的な発展を、パラダイム転換の科学革命と、パラダイムにもとづく通常科学に分けることによって、まったく新たな科学史像を提示した。
> **パラダイム**：1962年にトーマス・クーンが『科学革命の構造』で提唱した概念。クーン自身はそれについてさまざまな意味を語り、曖昧だと批判されることになった。一般には、概念図式とか準拠枠とか言われ、考え方の基本となる概念を指している。
> **カール・ポパー**：20世紀のオーストリア出身のイギリスの哲学者。科学哲学において「反証可能性」の理論を提唱したり、社会哲学で『開かれた社会とその敵』を発表して、さまざまな分野に大きな影響を与えた。

「ほら吹き男爵の トリレンマ」は 回避できるか？

　子どものころ、大人たちに「どうして」と何度も質問した経験は、誰にでもあるのではないでしょうか。

　たとえば、「他人をいじめてはいけません」と叱られた時、「どうして？」と質問します。その時、「あなたがいじめられたら、嫌な気持ちになるでしょう。自分が嫌なことは、他人にもしてはいけません！」（「黄金律*」）と諭されます。

　それに対して、「ボクだったら、やりかえす！」とか反論することもあります。そこでもう一度「どうして？」と質問すると、どうなるでしょうか。たぶんいろいろ理由が述べられた後で、最後には「ダメなことはダメ！」と言って、押し切られるのではないでしょうか。

　しかし、よく考えてみると、大人たちのこうした態度は、あまり褒められたものではありません。実を言えば、この経験は子どもにだけ特有というわけではなく、もっと根本的な理由があるのです。

　ハンス・アルバート＊というドイツの哲学者が、『批判的理性論考』の中で「ミュンヒハウゼン（ほら吹き男爵）のトリレンマ」を示しています。

　彼によると、どのような知識も、それを正当化するような基礎づけを行なえば、「すべて最後には、そのいずれもが受け入れ難く思われる三つの選択肢のうちのどれか一つを取らなければならないような局面、つまり或るトリレンマに陥るという困難に追い込まれる」[14]のです。

図11 ほら吹き男爵のトリレンマ

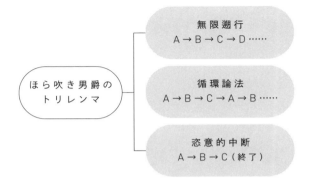

具体的には、「1. 無限遡行を行なうこと　2. 論理的循環論法　3. 恣意的な時点での中断」という三つです。一つずつ、説明しましょう。

「1. 無限遡行」というのは、「どうして」という質問に対して、答えを与えていき、どこまで行っても、再び質問されて終わりがないことです。「2. 論理的循環論法」とは、途中で以前の理由が登場して、そこからくりかえしになることです。

最後の「3. 恣意的な時点での中断」というのは、基礎づけの途中で、説明が終わってしまい、それ以上理由を提示しないことです。

よく反省してみれば、他人のことだけでなく自分の場合も、しばしばこうした議論を行なっているのではないでしょうか。ここから分かるのは、議論をする場合にはいつでも、知識の根拠を問い直すことが可能なことです。言いかえると、「これで議論が尽くされた」ということはありません。この点は、たえず自覚しておかなくてはなりません。

しかし、最終的な根拠が示せないからといって、循環論をおかしたり、恣意的な時点で中断して、説明を放棄したりすることは許されません。

自分や相手の主張の根拠は何なのか、たえず問い直していく態度こそが
大切です。

> **黄金律**：多くの宗教、道徳や哲学で見出される行動指針で、「他人から自分にしても
  らいたいと思うような行為を人に対してせよ」という内容の規則。
> **ハンス・アルバート**：20-21世紀の存命するドイツの哲学者。批判的合理主義を
  唱え、基礎づけ主義を批判している。「ミュンヒハウゼンのトリレンマ」は有名な議論。

Chapter 3

道徳
Moral

何をすべきか

　プライベートな生活だけでなく仕事の場面でも、私たちは「〜していいか」とか「〜は正しいか」という問いに日々直面しています。

　たとえば、「友人のためならウソをついてもいいか」、「会社の不正を知ったら、公表すべきか」など、その種類はさまざまです。こうした問題を考えるのが、道徳哲学ないし倫理学と呼ばれています。

　道徳や倫理学は、古くから哲学の重要な部門として研究されてきました。ソクラテスが哲学をはじめたのも、「ただ生きるのではなく、よく生きる」ことを求めたからでした。どうすれば「よく生きる」ことができるのでしょうか。そもそも「よく生きる」とはどんなことなのか、問わなくてはなりません。

　主要な道徳説として、現在ではしばしば三つの立場が大別されます。

個々の学説に入る前に、それらの輪郭をあらかじめ簡単に描いておきます。

まず、功利主義と義務論について見ておきましょう。一方の**功利主義は、行為の結果に着目して、善悪を判断します**。他方の**義務論は、行為の結果ではなく、行為そのものの善悪を判断します**。功利主義と義務論は、具体的行為にかんして、しばしば対立する主張を行ないます。その理解のために、「トロッコ問題」と呼ばれる思考実験を考えてみましょう。

> ブレーキの利かなくなったトロッコ電車の線路の先に、5人の作業員が働いています。このままだと5人全員が轢かれてしまいますが、線路のスイッチを切り替えれば、進路を変えることができます。しかし、その先には1人の作業員が働いています。(スイッチの事例)
> ブレーキの利かなくなったトロッコ電車の線路の先に、5人の作業員が働いています。その線路をまたぐ陸橋の上に、太った男がいるのですが、その男を突き落とすと電車が止まりそうです。(陸橋の事例)
> さて、この二つの事例で、私はどうしたらいいのでしょうか。

アンケートを行なうと、多くの人はスイッチの事例では功利主義的に考えて、進路を変えて、1人を犠牲にするよう選択するそうです。ところが、陸橋の事例では、義務論的に考えて、「1人の男を殺すべきではない」と判断し、5人を見殺しにするようです。「5人の命か1人の命か」という同じ問題なのに、道徳的な考えの違いによって、行動も変わってくるのです。次に、二つの道徳説とは違って、最近では第3の「徳倫理学」に注目が集まっています。この学説は、もともとはプラトンやアリストテレスといった、古代ギリシア時代にまでさかのぼります。この倫理学では、どんな行為を行なうべきかを問題にするのではなく、むしろ人として「よき人」になるにはどうすればいいかを考えるのです。

これから具体的な理論を見ていきますが、あらかじめ、三つの道徳説の位置づけに注意しておいてください。

倫理と道徳はどう違うか？

　小学校では「道徳」が教えられ、高校になると「倫理」が教科として出てきます。この二つ（「道徳」と「倫理」）は、同じものなのでしょうか。

　しかし、異なる言葉を使うので、まったく同じとは言えません。何気なく使っていますが、いざ「どう違うのか説明せよ」と言われると、困ってしまいます。いろいろな機会に質問されますので、あらためて確認しておくことにしましょう。

　日本語の辞書ではさまざまなニュアンスで説明されていますが、もともとは「道徳」がラテン語（mores）に由来する「モラル（moral）」の翻訳で、「倫理」はギリシア語（ethos）に由来する「エシックス（ethics）」の翻訳です。しかも、語源となったラテン語とギリシア語では、ともに慣習や規範、習俗といった意味をもっています。したがって、語感をどう受け取るかは別にして、意味としては大きな違いはありません。由来する語源の違いにすぎません。

　そのため、通常は「道徳」と「倫理」を区別して使うことは、ほとんどありません。互換性のある言葉で、どちらを使っても間違いではありません。ただ日本では、「道徳」が具体的な場面にかかわり、「倫理」が抽象的な理論と見なされるようですが、こうした区別は言葉からは出てきません。

　ただし、歴史的には、この二つを厳密に区別した哲学者もいます。た

とえば、日本の哲学者、和辻哲郎は『人間の学としての倫理学』の中で、「単に個人的主観的道徳意識を倫理という言葉によって現わすのははなはだ不適当である」と語り、「倫理は人々の間柄の道であり秩序であって、それあるがゆえに間柄そのものが可能にせられる」と説明しています。[1]

　和辻は「倫理」が「人々の社会的な関係」に成り立つと考え、個人的主観的な「道徳」から区別したのです。この考えは、ドイツの哲学者ヘーゲルの区別（「個人的・内面的な道徳」と「社会的・規範的な人倫」）を踏襲したものです。

　とはいえ、これが正解というわけではありません。現代フランスの哲学者ミシェル・フーコーやジル・ドゥルーズなどは、和辻やヘーゲルとはまったく逆の区別を主張します。つまり、「道徳（モラル）」は社会的な規範であり、人々に遵守するように命じるものですが、そうした規範に従わず、個々人の生き方を選び取るのが「倫理（エシックス）」です。社会的なモラルに対して、個人的なエシックスという対比です。

　個人的な語感として、どちらが自分の使い方に近いでしょうか。語源的には区別する理由はなく、あとはそれにどんな意味を込めるかの違いにすぎません。しかし、どう区別したところで、それが唯一の正しい答というわけではありません。

図12　道徳と倫理

	道徳（moral）	倫理（ethics）
語源として	ラテン語由来	ギリシア語由来
意味として	慣習、規範	慣習、規範
和辻・ヘーゲル	個人的主観的	社会的客観的
フーコー・ドゥルーズ	社会的な規範	個人的な生き方

他人にされたくないことは、他人にするな

　昔からよく使われる「道徳」として、「黄金律（ゴールデン・ルール）」と呼ばれるものがあります。たとえば、「他人にされたくないことは、他人にはするな！」とか、「他人からしてもらいたいことを、他人にせよ！」といった表現です。

　この考えは、世界共通のもので、古くからいろいろな表現で言及されてきました。たとえば、キリスト教では「人にしてもらいたいと思うことは何でも、あなた方も人にしなさい」と言われ、イスラム教では「自分が人から危害を受けたくなければ、誰にも危害を加えないことである」と述べられています。

　子どもを教育する時、家庭や学校でも、しばしば「黄金律」が最終的な根拠のように語られます。たとえば、子どもがウソをついた時、叱ったとします。それでも子どもが納得せず、「どうしてウソをついてはいけないの？」と反問したら、どうでしょうか。

　おそらく親や教師は、黄金律に頼るのではないでしょうか。
「あなたがウソをつかれたらどう思う？　嫌でしょう。だったら、あなたも他の人にウソをつくのはやめようね」

　しかし、子どもがはたして、これで納得するでしょうか。

　「黄金律」は、たしかにいろいろな場面で重宝されていますが、実は決

定的な難点が潜んでいるのです。それは、「私がしてほしいこと」と、「他人がしてほしいこと」が、共通であると前提しているのです。

逆に言えば、この二つが違っていれば、黄金律は成り立たないのです。

その点を皮肉交じりに指摘したのが、戯曲家のバーナード・ショー*です。彼は次のようなことを語っています。

> 他人にしてもらいたいことは他人にはするな。だって、人の好みは同じではないのだから。[2]（引用者訳）

現代社会では、人々の感性や好みは多種多様で、必ずしも共通ではありません。スポーツが好きな人もいれば、大嫌いな人もいます。異性愛を求める人もいれば、同性愛者もいます。

そのため、すべての人に共通の好みを見つけることは、ますます難しくなっています。とすれば、黄金律の助けによって道徳を押しつけようとしても、うまくいかないのではないでしょうか。

親や教師に従順な子どもに対しては、黄金律で説得できそうですが、反抗的な人には難しそうです。

というのも、その根拠の妥当性が問いかえされた時、必ずしも明確に答えることができるとは言えないからです。もし使うとすれば、この点を自覚しておかなくてはなりません。そうでなければ、やぶ蛇になってしまうかもしれません。

> バーナード・ショー：19-20 世紀のイギリスの劇作家、評論家。1912 年に完成した『ピグマリオン』は、『マイ・フェア・レディ』として映画化された。1925 年にはノーベル文学賞を受賞している。彼の作品には強烈な風刺が込められている。

他人に危害を与えなければ、何をしてもよい

　人間の自由を考える時、現代でも大きな影響を与えているのが、ジョン・スチュアート・ミル*の自由論です。おそらく日本で「自由とはどういうことか」と問うと、たいていこの答えがかえってくるでしょう。ミルは「自由」を説明するため、「他者危害（排除）の原則」という概念で表現しています。

> 　その原理とは、人類がその成員のいずれか一人の行動の自由に、個人的にせよ集団的にせよ、干渉することが、むしろ正当な根拠をもつとされる唯一の目的は、自己防衛（self-protection）であるというにある。また、文明社会のどの成員に対してにせよ、彼の意志に反して権力を行使しても正当とされるための唯一の目的は、他の成員に及ぶ害の防止にあるというにある。(3)

　この考えの基本は、他人に危害をおよぼさないかぎり、その人に干渉すべきではない、ということです。他人に危害（たとえば殺人のように）をおよぼす時は、その行為を禁止しなくてはなりません。それとは違い、他人ではなく、自分自身に危害をおよぼす時は、たとえ本人のためにならないとしても、干渉しないのです。これを「パターナリズム」の禁止と言います。

「パターナリズム」というのは、親が子どものためを思って、いろいろ干渉するようなものです。

日本では、けっこうパターナリズムが多いのですが、ミルの考えでは、あくまでも本人の責任において決めさせなければなりません。そのため、ミルの立場は、分かりやすく言えば「自己決定論」とも呼ばれ、結果から見ると「自己責任論」にもなります。

ミルの考えの基本には、成人の大人であれば、自分の行動に対して判断する能力をもっている、という前提があります。それに達していない子どもには、「パターナリズム」が認められます（もともと「パター」の語源は、「父親」です）。

判断能力のない子どもはパターナリズムによって保護し、判断能力がある（はず）の大人は自由が認められるのです。ただし、その結果、本人に危害がおよぶとしても、あくまでも「自己責任」になります。

この自由論は、日本では、「他人に迷惑をかけなければ何をしてもいい」という形で、表現されることがあります。この時問題になるのは、「迷惑」とか「危害」を、どう規定するかです。

たとえば、風呂に入らず異臭を発する人が電車に乗れば、周りの人には「迷惑」になります。しかし、だからと言って、「風呂に入っていない人は他人に危害を加えるので、電車に乗るのを禁じる」とはできないのです。「他人への危害」をどう規定するかが、ミルの自由論の試金石となるでしょう。

Column

ミルは、ベンサムによってはじめられた功利主義を新しい方向に発展させました。ベンサムの功利主義では、快と苦を計算するのですが、単に量的に計算するだけでいいのか、という疑問が生じたのです。たとえば、食事によって得られる快と、本などを読むことで得られる快

図13 功利主義2つの考え

功利主義

ベンサム
快と苦の計算
⇒量的功利主義

ミル
快と苦の質を考慮
⇒質的功利主義

は、同列に扱っていいのでしょうか。

こうした快苦の質的な違いに着目して、功利計算すべきだと主張した
のがミルです。彼は、「満足した豚より、不満足な人間の方がよい。
満足した愚か者より、不満足なソクラテスの方がよい」と言いました。
この言葉は、ある大学の入学式で、「太った豚であるより、やせたソ
クラテスになれ！」と言いかえられたそうです。

> ジョン・スチュアート・ミル：19世紀のイギリスの哲学者。ベンサムの功利主義を
継承しつつ、新たな視点を導入した。1859年に発表した『自由論』は、現在でも
重要な文献である。

強者のための道徳、弱者から生まれた道徳‥支配の道具か弱者の妬みか?

「道徳」という言葉を聞いて、なんとなく胡散臭く感じる人は少なくありません。その理由の一つとして、道徳は個人の自由を奪い、社会的な規律を強制するように見えるからです。

この考えは、古くからあります。

たとえば、プラトン*は『国家』の中で、「正義」が「支配者階級の利益」にほかならないことを、次のような言葉で表現しています。

〈正しいこと〉とは、すべての国において同一の事柄を意味している。すなわち、それは、現存する支配階級の利益になることにほかならない、ということなのだ。しかるに支配階級とは、権力のある強い者のことだ。したがって、正しく推論するならば、強い者の利益になることこそが、いずこにおいても同じように〈正しいこと〉なのだ、という結論になる。(4)

この指摘は、現代でも心当たりがあるのではないでしょうか。

国家だけでなく、さまざまな組織が道徳や規律を要求する時、しばしば強権的な支配のように見えます。道徳の名のもとに、支配者の利益が働いているのです。従順に道徳を守る人は、牙を抜かれた(去勢された)動物に他なりません。

これに対して、ニーチェ*は「道徳」が「弱者のルサンチマン(妬み)」

から生じた、と主張しています。「よい、わるい」というのは、もともとは道徳的な意味をもたず、「優れている、劣っている」を表現するものだった、とニーチェは言います。(5)

たしかに、スポーツで「よい選手」というのは「優秀な選手」ですし、「悪い選手」は「下手で劣った選手」なのです。つまり、「よい＝優秀＝強い、悪い＝劣等＝弱い」というわけです。

ところが、劣った弱者たちは、力では勝負できないので、別の側面から強者を引きずり降ろそうとするのです。つまり、みんなで集まり（畜群）ひそひそ話をして、「あいつ傲慢だ、自己チューだ！」などといって、悪口を言うのです。

こうして、強者は悪者になり、弱者が善人になって、「道徳」が生み出されるのです。弱者である私たちは、みんなで協力し、優しい心をもっている、というように。**道徳は弱者たちが自己正当化するための道具にほかなりません。**実際、世の中を眺めてみると、しばしば「妬みからの道徳」が散見されるでしょう。マスコミでも、学校でも、ご近所でも、職場でも、いたるところで「弱者のルサンチマン」が蔓延し、その正当化を求めています。

とすれば、自分自身のためには、むしろ道徳を守らない方がいいのではないでしょうか。こうして、「反道徳のススメ」が提唱されます。一

図14　プラトンとニーチェ

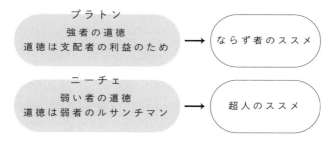

方で、「〈正しいこと〉は強い者の利益になることにほかならず、これに反して〈不正なこと〉こそは、自分自身の利益になり、得になるものなのである」——こうプラトンは言います。しかし、これではまるで、「ならず者のススメ」のように見えます。

　他方でニーチェは、弱者たちのルサンチマンから逃れて、「道徳の彼岸」へ向かうことを高らかに宣言します。これは「超人のススメ」なのですが、具体的に考えると、やはり「ならず者のススメ」ではないでしょうか。

〉プラトン：Basic 2 を参照
〉フリードリヒ・ニーチェ：Basic 9 を参照

よいか悪いかは結果から考えよ

道徳を問題にする時、意見がしばしば対立します。同じ行為でも、よいと見なす人もいれば、悪いと叱責する人もいます。たとえば、次のような場面を考えてみましょう。

> 重病の患者を救うための薬が1人分あったとします。その患者に薬を使おうとしたちょうどその時、5人の患者が運ばれてきました。彼らは、先ほどの薬を1/5ずつ使えば、全員が救われるとしましょう（それ以下だと誰も救えない）。
> 薬の補充が期待できない時、どうしたらいいか？

早い者順で重病者を優先する、と考える人もいます。あるいは、全員平等に、6等分する、と主張する人もいるでしょう。

前者の場合は、1人を救えますが、他の5人は救えません。後者の場合には、誰にも十分な薬が行きわたらず、結局6人全員が亡くなります。これに対して、功利主義だと、あくまでも結果を考慮し、5等分して5人を救うのが一番いい、と主張するでしょう。こうした結果を重視する考えを、帰結主義と呼びます。

功利主義では、**行為のよし悪しを判断するため、結果における功利計**

算をします。この時のポイントは二つあります。一つは、善と悪を「快」と「苦」の総計によって決定するのです。功利主義の創始者ジェレミー・ベンサム*は次のように語っています。

　　われわれが何をしなければならないかということを指示し、またわれわれが何をするであろうかということを決定するのは、ただ苦痛と快楽だけである。(6)

　もう一つのポイントは、「快」・「苦」の総計を求める時、関係する人全体におよぶことです。私個人ではなく、全体の人々にとって何が利益かを考えるのです。

　功利主義は、しばしば「利己主義」だと誤解されますが、むしろ全体の利益を考えるので、「公益主義」と呼ばなければなりません。私にとっては利益でも、関係する人全体にとって不利益になれば、よい行為ではないのです。まとめておきましょう。

> 功利主義のポイント
> 　①帰結主義
> 　②快苦の計算主義
> 　③全体の利益主義

　道徳問題は、事実だけでは解決しないので、しばしば感情的な衝突が起きます。人によって、「何がよく、何が悪いか」の基準が異なるからです。この状況を打破するために、だれもが認めるような基準として「快楽と苦痛」が提示されたのです。

　こうして、功利主義は「快苦の計算」という客観的な原理を導入して、道徳にも科学的な議論が可能であると主張したのです。

功利主義では、基準となるのが「快と苦」ですので、公益に該当する
メンバーは人間に限定されません。つまり、快苦を経験できるものが
メンバーになるわけです。具体的には、動物も同じように快苦を感じ
る時、考慮されなくてはならないのです。関係するメンバーは、人間
中心ではなく、快苦を感じることができるもの全体です。このため、
功利主義者のなかには、**ピーター・シンガー**＊のように動物解放を唱
える人も出てきますし、菜食主義者も少なくありません。こうして、
功利主義は、現代の環境保護運動とも積極的に結びつくのです。

> ジェレミー・ベンサム：18-19世紀のイギリスの哲学者、法学者。哲学説として功
利主義を提唱し、「最大多数の最大幸福」を主張した。代表作は1789年に発表した『道
徳および立法の諸原理序説』。
> ピーター・シンガー：20-21世紀の存命するオーストラリア出身の哲学者。20世
紀の後半に環境哲学や生命哲学の分野で、ラディカルな議論を展開し、注目される
ようになった。功利主義の立場から、人間中心主義を批判し、動物の解放を唱えた。

Basic34

普遍化可能な原則に従え

行為の善悪に対して、功利主義とは異なるアプローチをするのが、ドイツの哲学者イマヌエル・カント*です。カントは道徳哲学において、「義務論」と呼ばれる主張を提唱し、いまでも大きな影響を与えています。それを理解するため、次のような事例を考えてみましょう。

たとえば、殺し屋に追跡されている友人Aが、私のところに逃げてきて、かくまってくれと頼んだとします。その後、その殺し屋が私のところにやってきて、「Aはいるか？」と質問しました。その時、私は「ウソをついてもよいか？」。

こうカントは、問いかけます。つまり、友人を救うために、ウソをついてもいいか、と問うわけです。

それに対する、カントの答えは、「ウソをつくべきではない」というものです。なんとも理不尽な答えに見えますが、カントには、「汝の意志の格率が、常に同時に普遍的立法の原理として妥当しうるように行為せよ」というような、義務の思想が横たわっているのです。(7)

難しい表現ですが、ポイントは誰にでも理解できます。たとえば、行為がよいか、悪いかを考える時、人はしばしば自分の都合だけで判断しがちです。「私はしてもいいが、他人はしてはいけない」というように。これに対して、カントは私だけでなく、「誰でも私と同じことをしてもよいか」考えよ、と要求するのです。これが「普遍的立法の原理」とい

うことです。

　私がウソをついてもよいとすれば、当然他の人もウソをついてもいいわけです。こうなった場合、はたして人間関係や社会が成り立つのでしょうか。おそらく、社会全体にウソが蔓延し、誰も信用できなくなるでしょう。

　だからといって、他の人にはウソを認めず、自分だけはウソをついてもいい、という例外をカントは認めません。これを「定言命法」と呼びます。

　こうしたカントの義務論は、行為の結果ではなく、行為そのもの、さらには、行為の動機について、善悪を判定するのです。たとえば、他人に褒められたいがために、よい行為をしたとしても、カントは評価しません。すべての人が行為すべきだと考えるような行ないを、心から自発的に行なうこと——これがカントにとって、「よい」と言われることです。

　カントの義務論は、行為の結果を考慮せずに判断しますので、下手をすると最悪の結果に導くこともあります。動機はいいが、結果は最悪、ということも起こりえます。

　たとえば、先ほどの「ウソをついてもいいか」という事例を考えてみてください。ウソをつかず、「友人はいますよ！」と言ったら、友人は殺されてしまうのではないでしょうか。それでも、カントの確信は揺るぎません。「汝なすべきであるがゆえになすべし」。これがカントの義務論なのです。

Column

> 殺し屋をめぐるウソの話は、カントの哲学でもっとも評判の悪いものです。マイケル・サンデル*は評判になった「白熱講義」の中で、それに対する新たな解釈を提出しています。簡単に言えば、ウソをつかず、しかも友人が殺し屋からも襲われない、という方法です。具体的

には、曖昧な言い方をして、その場を逃れるというものです。たとえ
ば、「先ほど彼を向こうの通りで見ました」というように。たしかに、
この言い方はウソにはならず、しかも彼が家にいることは明かさない
のですから、うまくいきそうに見えるかもしれません。しかし、殺し
屋は、サンデルの表現にひっかかるほどお人好しでしょうか?

> **イマヌエル・カント**：Basic 1 を参照
> **マイケル・サンデル**：20-21 世紀の存命するアメリカの哲学者。1980 年代に、『リ
  ベラリズムと正義の限界』を出版して、リベラリズム批判を行ない、コミュニタリ
  アニズム（共同体主義）を提唱した。21 世紀になって、『これからの「正義」の話
  をしよう』を著わし、「白熱教室」の講義スタイルが話題となった。

どうすれば「よき人」になれるか?

　古代ギリシア以来、「どうすればよき人になれるか」という形で、道徳が問題となってきました。人として備えるべき「よさ」が求められたのです。それは「徳（卓越性）」と呼ばれ、歴史的にはさまざまな「徳」が語られてきました。

　たとえば、アリストテレスでは、知恵や勇気、節制や正義などが、人として備えるべき「徳」とされました。これに対して、中世のキリスト教では、信仰や希望や愛などが重要な徳とされています。現代では、勤勉や誠実などが、求められる徳と言えるかもしれません。このように、徳は、社会や時代が違えば、その内容も変わってきます。

　しかし、「徳」の内容は変わっても、「徳」の意味は一貫しています。**アリストテレス***の「徳」についての説明を見ておきましょう。

> 　徳はそれを備えうるものがよい性向を保ち、その働きをよく発揮させるようなものであると言わなければならない。たとえば、目の徳が目と目の働きを優れたものとするように。なぜなら、われわれがものをよく見ることができるのは目の徳によってだからである。（中略）人間の徳もまたそれによって人間がよきものとなり、人間それ自身の働きを発揮させる源となるような性向であるということになろう。[8]（引用者訳）

　このように、「徳」というのは、働きをよく発揮させたり、優れたものとしたりするような「卓越性」なのです。しかし、すぐ身につくわけでなく、「習慣」によって定着されなくてはなりません。この点で、教育が重要な役割を果たします。ただし、その場合でも、理論として教えるというより、習慣として体得させるのです。

　しかし、「人としてのよさ」に着目する道徳説は、歴史的には近代以後は、やや後退しました。

　それにかわって、近代の主流となったのは、功利主義と義務論ですが、両者とも「行為」に着目し、「何をすべきか、すべきでないか」を問題にしたのです。ところが、このアプローチも、20世紀の後半になると批判を受け、以前の「徳倫理学」があらためて復活することになったわけです。

「徳倫理学」は、人間の全体的なよさを問題にしますが、その反面、具体的な行為にかんして直接的な指針を与えてはくれません。「徳を有する人が行なう行為がよい」と言われますが、「実際にどうすればいいのか」答えるわけではありません。したがって、倫理学として「徳倫理学」が、具体的な場面でどこまで有効かは、あらためて検討されなくてはなりません。

　アリストテレスにとって、徳と呼ばれるものは、超過と不足の中間状態としての「中庸」だとされています。いくつかの徳を挙げておきます。意外と、現代でも通用するのではないでしょうか。

図15 超過・中庸(徳)・不足

超 過	中 庸(徳)	不 足
無 謀	勇 気	臆 病
放 埒	節 度	鈍 感
恥知らず	慎 み	恥ずかしがり
利 得	正 義	損 失
放 漫	気前よさ	け ち
虚 栄	誇り高さ	卑 屈
悪賢さ	思 慮	お人よし

＞アリストテレス：Basic2 を参照

道徳は死んだ、何事も許される

　道徳にかんする哲学者の議論と言えば、一般に道徳の意義を前提したうえで、どんな行為がよいのかを、あれこれ示すように見えます。こうした前提を根本から否定したのが、19世紀末のドイツの哲学者フリードリヒ・ニーチェ*です。

　ニーチェの有名な言葉に「神は死んだ」というものがありますが、ここで「神」と表現されているのは、宗教的な神だけでなく、絶対的な価値とされるものです。たとえば、「絶対的な真理」「絶対的な善悪」「絶対的な美」は、もはや成立しないのです。ちなみに、「絶対的」というのは、時と場所を超えて、「いつでもどこでも妥当すること」です。いまだけ、ここだけ正しい、というのは絶対的ではありません。

　現代人の多くは、このニーチェの考えを認めるのではないでしょうか。これをニーチェは「ニヒリズム」と呼んで、20世紀や21世紀に流行すると予言しています。現代では絶対的な基準が消え、むしろ「何でもあり！」になっていますが、これはニーチェの予言の正当性を示しています。このニヒリズムの考えを、「道徳」について語ったのが、次です。

　　現象に立ちどまって「あるのはただ事実のみ」と主張する実証主義に反対して、私は言うであろう。否、まさしく事実なるものはなく、あるのはただ解釈のみと。(9)

ニーチェの考えには、もともと「パースペクティブ（遠近法）*主義」があって、物事はそれぞれ見る立場、視点によって「見え方が違う」と主張されています。もちろん、「道徳」も例外ではなく、どういう立場から見るかで、道徳（善悪）の理解も変わってくるのです。そのため彼は、「解釈」という表現を使っています。誰もが認める客観的な事実ではなく、人それぞれ見る立場、視点によって変わる解釈なのです。

道徳に客観的な基準がなく、むしろ解釈であるとすれば、そこから「何が正しく、何が間違いか」は決定できなくなります。この考えを徹底化させると、たとえば「なぜ人を殺してはいけないのか」という問いに対して、はっきりとした理由が示せなくなります。

そのため、アドルノとホルクハイマーは、『啓蒙の弁証法』の中で、ニーチェの思想について、次のように語っています。「理性によっては殺人に対する原則的反論をすることはできないということを、糊塗することなく天下に唱導した」

Column

「神がいなければ、すべてが許される！」
この名言は、ロシアの文豪ドストエフスキーが『カラマーゾフの兄弟』の中で語らせた言葉ですが、これはニーチェのニヒリズムに対する、文学的表現と言えます。第二次大戦後のフランスの哲学者ジャン＝ポール・サルトルは、この言葉が「実存主義」の出発点だと言っています。現代が神なき時代であるとすれば、「すべてが許される」状況の中で、どうやって善悪を判断するか。このきわめて困難な課題に、現代人は直面せざるをえません。

> フリードリヒ・ニーチェ：Basic 9 を参照
> パースペクティブ（遠近法）：Introduction を参照

道徳判断は趣味判断にすぎないか？

道徳にかんする現代的な思想として「情緒主義*」があります。ニーチェの「道徳」論がハードニヒリズム（道徳への徹底的な懐疑）*であるとすれば、道徳の「情緒主義」はソフトニヒリズム*と呼ぶことができるでしょう。

その初期の提唱者として、20世紀イギリスの哲学者A. J.エイヤー*の考えを知っておくのがいいでしょう。彼は、『言語・真理・論理』(1936)の中で、「事実判断」と「道徳判断」を区別して、次のような例をもち出しています。

「君があのお金を盗んだとは悪いことをしたものだ」(10)

この文は、「君があのお金を盗んだ」という事実判断と、その事実が「悪かった」という道徳判断から成り立っています。文としては「入れ子構造」になっているのですが、この二つはまったくレベルが違うのです。一方の「事実判断」にかんしては、原理的には真か偽かを判定できます。実際に盗んでいれば真ですし、盗んでいなければ偽となります。問題は、その後の道徳判断です。

というのも、たとえ「君があのお金を盗んだ」という事実が真であるとしても、それが悪いのか、悪くないのかは決まらないからです。よい

か悪いかは、事実とは違う次元の問題なのです。では、「よいか悪いか」を、人はどうやって判別しているのでしょうか。これに対するエイヤーの答えが、「感情」「情緒」というものでした。

> 私の言明を一般化して、「金を盗むことは悪い（Stealing money is wrong）」と言うなら、私は事実的な意味をもたない文章を——つまり真や偽でありうる命題を表現していない文章を作り出したことになる。それはあたかも私が「金を盗むこと！」と書き、その感嘆符の形と太さが一定の規約により、特殊な道徳的な否認の感情が表現されていることを示している場合と同じである。この場合、真や偽でありうることは何一つとして言われていないことは明らかである。[10]（引用者訳）

つまり、**よいとか悪いという表現は、事実（「君があのお金を盗んだ」）に対する感情の表現であって、「ブー」と言ったり、「フレー」と言ったりすることと同じなのです。**感情の表現は、正しいのか間違っているのか、問題になりません。

たとえば、カレーを食べた人が「このカレーはまずい！」と言う人に対して、その言明が正しいかどうかを問うことはありません。これは好きか嫌いかの違いにすぎないからです。これを、趣味判断と呼びます。「カレーがうまいか、まずいか」は趣味判断であり、それについて真偽は問えないわけです。

こうして、**「よいか悪いか」を言明する道徳判断は、結局のところ「好きか嫌いか」の趣味判断になってしまうのです。**あるいは、本来は趣味判断であるものを、あたかも重大な道徳判断であるかのごとく偽装しているのかもしれません。

こう考えると、世の中で語られている、さまざまな「道徳判断」が、一皮むけば実際には「趣味判断」に他ならない、と分かるでしょう。たとえば、中学の校長先生が学生に、「男子は髪の毛は短くてすっきりし

ているのが、学生らしくてよい」と語った時、学生たちは「ああ、そ
れって校長先生の趣味ですね」と反応するかもしれません。

> **情緒主義**：A. J. エイヤーや C. L. スティーブンソンが唱えた倫理学説。道徳的問題
　については、事実判断や論理的な議論では解決できず、感情や情動によって決定さ
　れると見なされる。
> **ハードニヒリズム（道徳への徹底的な懐疑）**：ソフトニヒリズムを参照
> **ソフトニヒリズム**：ニヒリズムを二つに分け、ニーチェが主張するニヒリズムを
　「ハードニヒリズム」と呼び、それよりも穏当なニヒリズムを「ソフトニヒリズム」
　と呼ぶ。ハードとソフトの違いは、道徳を拒否するか否かによって、分かれる。
> **A. J. エイヤー**：20 世紀のイギリスの哲学者。論理実証主義をイギリスに紹介し、
　1936 年に『言語・真理・論理』を発表した。

幸福

Happiness

何を望んでもよいか

　古今東西、どうしたら幸福になれるか、さまざまな教説が語られてきました。その理由は、人間がことごとく不幸であるからなのでしょうか。

　はたして不幸かどうかは別にして、すべての人間が幸福を求めることは否定できません。**パスカル***は次のように語っています。

　　すべての人は、幸福になることをさがし求めている。それには例外がない。どんな異なった方法を用いようと、みなこの目的に向かっている。ある人たちが戦争に行き、他の人たちが行かないのは、この同じ願いからである。この願いは両者に共通であり、ただ異なった見方がそれに伴っているのである。（中略）これこそすべての人間のすべての行動の動機である。首を吊ろうとする人たちまで含めて。[1]

　すべての人が同じように幸福を求めるとしても、「幸福」についての考えは必ずしも同じではありません。いったい、幸福とは何なのでしょうか。

　幸福については、客観的な「幸福」と主観的な「幸福」を分けることができます。客観的な「幸福」では、幸福のリストが作成されるかもしれません。病気よりは健康の方が幸福だし、貧しいよりは豊かである方が幸福でしょう。これらは、幸福であるための十分条件とは言えませんが、必要条件であることは否定できません。

　他方で、「幸福」を主観的に理解すれば、「幸福＝幸福感」と考えることができます。実際、外面的には何不自由のない豊かな暮らしをしているのに「幸福」を感じないこともあります。逆に、それほど裕福とは思えない状況でも、「幸福」を感じている人は少なくありません。「幸福度ランキング」で、あまり裕福でない国が上位になることもしばしばです。

　そこで、この章では、幸福を理解するための4つの視点をあらかじめ提示しておきます。

図16　幸 福 を 理 解 す る た め の 4 つ の 視 点

> ブレーズ・パスカル：Basic 9 参照

幸福をどうつかみ取るか、それが問題だ

「幸福 (英 Happiness、独 Glück、仏 Bonheur)」という言葉は、語源から考えると、「たまたま偶然もらったもの」という意味をもっています。その点では、「幸運」とほとんど区別できません。俗にいう「棚からぼた餅」も、そうした「幸運」と言えます。

ところが、哲学で「幸福」を論じる人たちはたいてい、こうした「幸運」を「幸福」と呼ぶことに反対しています。たとえば、バートランド・ラッセル*の『幸福論』は、正式のタイトルとして『幸福の獲得』となっていますが、その意図を、「幸福は、きわめてまれな場合を除いて、幸運な事情が働いただけで、熟した果実のようにぽとりと口の中に落ちてくるようなものではない」[2] と語っています。

ここで表明されているのは、「幸福」が他人からもらったり、偶然に与えられたり、あるいは神から授けられたりしたものではない、ということです。むしろ、自分の「力を発揮する」ことで、自ら獲得するものです。この点では、アラン*の『幸福論』も同じことを語っています。

> 幸福はいつもわれわれから逃げていくものだ、といわれる。ひとから与えられた幸福を言うのなら、それは正しい。与えられた幸福などというものはおよそ存在しないからである。しかし、自分でつくる幸福は、決して裏切らない。[3]

図17　三大幸福論（19世紀末から20世紀前半にかけて出版）

著者	原題（出版年）	特徴
カール・ヒルティ	『幸福』(1891、スイス)	倫理的・宗教的
アラン(筆名)	『幸福についてのプロポ（語録）』(1925、フランス)	文学的・哲学的
バートランド・ラッセル	『幸福の獲得』(1930、イギリス)	合理的・常識的

　この考えは、**ヒルティ***の『幸福論』でも変わりません。ヒルティの『幸福論』は、ラッセルやアランを含めた、いわゆる「三大幸福論」の中で宗教的な色合いを帯びていますが、それでも冒頭の「仕事における幸福」を読むと、「自己実現」を強調しているのがよく分かります。

　　あらゆるほんとうの仕事は、人間が真剣にそれに没頭しさえすれば、たちまち興味深くなってくるという性質をもっている。仕事の種類が幸福にするのではなくて、創造と成功の歓喜が幸福にするのである。およそありうるかぎりでの最大の不幸は、仕事のない生活であり、生涯の終わりにその実りを見ることのない生活である。[4]（引用者訳）

　いままで、さまざまな幸福論が語られてきました。もっとも重要な特徴として、「幸運」と「幸福」の区別を確認することが大切です。

> バートランド・ラッセル：19-20世紀のイギリスの哲学者、数学者、論理学者。1950年にノーベル文学賞を受賞している。それぞれの分野での仕事は多岐にわたり、どれもが後世に大きな影響を与えている。
> アラン（本名エミール＝オーギュスト・シャルティエ）：19-20世紀のフランスの哲学者。短文で思索を促すモラリストであり、『幸福論』として集成されている。
> カール・ヒルティ：19-20世紀のスイスの哲学者。敬虔なキリスト教徒であり、それにもとづき『幸福論』を書いた。『眠られぬ夜のために』という著書もある。

幸福と道徳は一致する

　就職活動している大学生に、「なぜ就職活動するのか？」と問えば、（当たり前のことを聞くなよ、といった顔で）「いい会社に入るためだよ」と言うでしょう。そこで、もう一度「なぜいい会社に入るのか？」と聞くと、どうでしょうか。世間体がいい？　安定した生活ができる？　いろいろ理由があります。しかし、あらためて、「安定した生活は、何のためにしたいのか？」と聞くとどうでしょう。どんな答えがかえってくるでしょうか。

　こうして、目的（「何のため？」）を次々とたどっていって、もうこれ以上ないような「究極的な目的」に達する時、それをアリストテレス*は「幸福」と呼びます。「幸福」は私たちが生きる時、その究極的な目的（「最高のよきもの＝最高善」）とされるのです。

　　最高の善が幸福であり、よく生きよく行為することが幸福と同じ意味である、ということにかんしては、ほとんどの人の意見が一致している。[5]（引用者訳）

　幸福を「究極目的」とする考えは、一般に「幸福主義」と呼ばれています。人間は誰であれ、そのつどよきものを求めて生きていますが、その中でも最高のよきものが「幸福」というわけです。その時、問題となるのは、「幸福」をどう考えるかです。

というのも、「善（よきもの）」という時、二義性があるからです。人によっては、感覚的な「快楽」こそが「よきもの」と見なすかもしれません。「快楽」こそがもっともよきものであり、「幸福」は「快楽」のうちにある、という考えもあります。これを「快楽主義」と呼びますが、アリストテレスはこの考えを退けています。

それに対して、アリストテレスは、「幸福」を理解する時、「徳」と結びつけています。たとえば、「もっともよく、かつもっとも完全な徳にもとづく魂の活動が人間にとっての善となる」と述べています。ここで、「徳」と表現されているのは、「卓越性」を意味する「アレテー」ですが、人間にとっての「卓越性」が道徳的であることは確かです。

こう理解すると、アリストテレスの「幸福主義」がなぜ『ニコマコス倫理学』で論じられているか、分かるのではないでしょうか。「幸福」と「道徳」を結びつけて考えることに、アリストテレスの「幸福主義」のポイントがあります。**「道徳」に反した「快楽」を自分にとって「よきこと」と見なし、活動するような態度は、「幸福」とは呼べないので**す。そのため、彼は、「幸福な生活は、まじめさを伴うものであり、遊びのうちにはない」と力説しています。

> Column
>
> 古代哲学の中で、アリストテレスとは違った形で「幸福論」を展開したのがエピクロスです。彼は、「幸福」の実質は「快楽」であり、「快楽」そのものが「善（よきこと）」である、という「快楽主義」を唱えました。しかし、「快楽」は、「欲望」のままに従っていたら、必ずしも得られるわけではなく、むしろ「苦痛」さえ生み出すことになります。そこで、「欲望」を制御することによって、「心の平安（アタラクシア）」を求めることが、「快楽」につながるとされました。

> アリストテレス：Basic 2 を参照

正しく生きるためには幸福を求めるな

　幸福と道徳とが一致するというアリストテレス的な「幸福論」に対して、きっぱりと反対したのが近代最大の哲学者と呼ばれる**イマヌエル・カント**＊です。カントの基本的な考えは、一方の「幸福」が人間のやみがたい「欲望」にもとづくものであり、他方の「善（よきこと）」を求める道徳とは区別すべきだ、というものです。

> 　人間を幸福にすることと人間を善人にすることとは、また人間を賢く自分の利に聡くすることと人間を有徳にすることとは、まったく別（略）。(6)

　カントは、人間が自然本性上「幸福」を求めることは否定しません。欲望（カントはこれを「傾向性」と呼ぶ）をもち、それにもとづいて「幸福」を求めるからです。しかし、**こうした「幸福」は、「善（よきこと）」をめざす道徳とはまったく異なる**のです。

　たとえば、巧妙にウソをついて仕事が成功し、裕福になったとしましょう。たしかに、仕事が成功したかぎりでは、自分の欲望を満足させ、他人からも称賛されるかもしれません。

　しかし、そうした「幸福がよきものか？」と問われたら、ほとんどの人が躊躇するのではないでしょうか。道徳的な「善（よさ）」を無視して「幸福」を手に入れたとしても、なんとも居心地が悪いはずです。

　カントは道徳的な「善（よさ）」は、例外のないものだと考えました。これを「定言命法」と呼んでいます。

　たとえば、「ウソをつくな」という道徳的な命令は、たとえ「不幸」な結果になるとしても、絶対に遵守しなくてはならないのです。「ウソも方便」という言葉があるように、時には「ウソをつく」方がよい結果になる場合があるかもしれません。そんな時でも、カントは「絶対にウソをつくべきではない」というわけです。

　カントの場合、「幸福か道徳か、どちらを選択すべきか」という問題が生じた時、躊躇なく「道徳を選べ！」と命じます。これは、友人の幸福だけでなく、自分自身（あるいは自分の家族）の幸福でさえも、道徳のためには犠牲にしなくてはならない、というのです。

　これは、きわめて厳格な道徳主義です。こうした謹厳主義は、最近はあまり評判がよくないのですが、この原則を放棄すれば、安易なご都合主義になる危険性もあります。

　たとえば、例外を認めるかどうかを考えてみましょう。

　現実の生活では、時として規則に違反したり、原則通りにはいかないことがあります。自分の責任ではなく、不可抗力のために、他人との約束を守れない場合があります。そんな時、最近では、温情主義的に事情を考慮して許す場合があります。しかし、カントの立場からすると、そうした例外は認められないのです。このあたりをどう評価するかで、幸福に対する考えも変わってきます。

Column

カントの謹厳主義はその生活にも表れています。有名な逸話として、彼の散歩の習慣が伝えられています。彼は毎日決まった時間に、決まったコースを散歩する習慣があったそうです。そのため、町の人々はカントの散歩を見て、「ほらカントさんがいまここを歩いているから、○○時だよ！」と言ったそうです。この手のエピソードはよく語

られますが、「例外を許さないルール主義」は心に留めておきたいものです。

> イマヌエル・カント：Basic 1 を参照

Part1 人生の本質を知る

芸術という幸福

Basic41

「幸福」を積極的に評価する哲学者たちに対して、例外的に冷ややかなまなざしを向けるのが、19世紀末のドイツの哲学者フリードリヒ・ニーチェ*です。彼は、「快楽主義」や「幸福主義」に対して、「嘲笑や同情をもって見下すしかない代物」(7) と言い切っています (『善悪の彼岸』215節)。

ニーチェのデビュー作に『悲劇の誕生』(1872) という本があります。その中で、ギリシアの伝説を使いながら、「人間にとってもっともよく、もっともすばらしいものは何か」というミダス王の問いに対して、「最善のことは、おまえにはまったく手の届かぬこと、つまり生まれなかったこと、存在しないこと、無であることだ。だが、おまえにとって次善のことは早く死ぬことだ」(8) と答えさせています。

ここで語られているのは、「人生は苦悩に満ちている」という、ショーペンハウアー譲りの「厭世主義 (ペシミズム)」です。その当時のニーチェにとって、生きることそれ自体が苦痛であり、不幸に他ならない、と感じられていました。この感覚は、必ずしもニーチェだけに特有ではなく、多くの人に共感されるかもしれません。

しかし、もし誰かが、この「ペシミズム」を語った時には、あまり真剣に受けとらない方がいいでしょう。というのも、語っている当人がまだ生きているのですから。**ペシミズムを語る人は、自己矛盾を犯すことになる**のです。

図18 芸術の2タイプ

アポロン的
造形芸術
理性的

ディオニュソス的
音楽
忘我的

アポロン
（太陽の神）

ディオニュソス
（酒の神）

　そう考えると、生きること全体がすべて苦痛というのは、おそらくありえないことでしょう。むしろ、人生には喜びだけでなく、苦痛もまた時には伴うものだ、と言った方が適切かもしれません。そう考えた時、「生きること」の中で苦痛を感じるならば、やはり「早く死ぬこと」以外に方法はないのでしょうか。

　ニーチェが『悲劇の誕生』の中で求めたのは、「芸術による救済」という戦略でした。この時、「芸術」といっても、具体的には「音楽」なのですが、これによって我を忘れ（エクスタシー）、生の苦悩から解放される、というわけです。この発想は、後に「自己批判」されるのですが、意外と「人生」の本質を捉えているかもしれません。

　生の苦悩から解放するものが、音楽だけかどうかは分かりませんが、少なくとも「忘我」の状態になることは、お酒の場合も含め、人間には必要なのかもしれません。

Column

　ニーチェは『悲劇の誕生』で示したペシミズムの思想を、後になって「自己批判」します。新版に加えられた序文「自己批判の試み」によって、その思想を**ロマン主義***として拒否するのです。その時問題となっ

たのが、「生」を苦痛と捉え、音楽（芸術）を通して忘却する、という図式でした。これに代わるものとしてニーチェが提示したのは、「永遠回帰」思想と「権力への意志」という概念です。これが、『ツァラトゥストラ』で展開されることになります。

> **フリードリヒ・ニーチェ**：Basic 9 を参照
> **ロマン主義**：18 世紀末から 19 世紀にかけて、ヨーロッパで起こった芸術、思想上の運動。合理的な古典主義に対抗し、心情や感情の高揚を謳い、自然や無限への憧憬を表現した。

幸福ではなく、不幸に気をつけろ

　幸福論の中で、ひときわ異彩を放っているのが精神分析学者ジークムント・フロイト*の考えです。彼は、70代で「文化への不満」（原著1930）という論文を書いていますが、この中で「幸福論」が示されています。

　フロイトによれば、人生の目的はたしかに「幸福」です。しかし、注意すべきは、これに積極的目標（「強烈な快感を求めること」）と消極的目標（「苦痛と不快がないことを求めること」）という二面があることです。つまり、人間は「幸せになりたい」ために、一方で強烈な快感を求め、他方で不快を避けようとします。これを、フロイトは「快感原則」と呼ぶのですが、とくに新奇なことが語られているわけではありません。それでは、フロイトの議論の面白さは、どこにあるのでしょうか。

　彼の面白さは、人間にとって「幸福」がきわめて困難であるのに対し、「不幸」は容易に訪れることを喝破したことです。

　　もっとも厳密な意味での幸福は、強くせきとめられていた欲求が急に満足させられるときに生まれるものであり、ほんらい挿話的な現象としてしか現れないのである。快感原則が望んでいた状況も長続きすると、気の抜けた快適さをもたらすにすぎないのである。わたしたちは、激しい対照だけに快感を覚えるものであり、快を覚える状況はごくわずかのあいだしか享受できないものなのである。

　このように人間が幸福になる可能性というものは、わたしたちの心的な構成のために制約をうけているのだ。ところが不幸を経験するのは、はるかにたやすいことなのである。⁽⁹⁾

　たとえば、恋愛と結婚を考えてみると分かりやすいかもしれません。「不倫」の場合も含め、「恋愛」の時は心がときめき、強烈な感情がしばしば生まれます。それに対して、しばらく付き合った後「結婚」すると、「気の抜けた快適さ（?）」しか与えないというわけです。だからといって、「不倫」に走ると簡単に「不幸」が訪れるかもしれません。

　フロイトは、不幸の原因として3つを区別しています。**①自分自身の身体、②私たちを取り巻く外界、③他人との人間関係**です。この中で、「最後の原因から生まれる苦難は、おそらく、他の種の苦難にもましてわれわれには苦痛と感じられる」と言われています。

　フロイトによれば、こうした苦痛をうまく処理できないと、心の病が発症することになります。それを回避する一つの方法は「宗教」にありますが、その宗教をフロイトは「集団妄想」と呼んでいます。こう考えると、人間にとって、「幸福」はなんと難しいのでしょうか。

Column

　フロイトは、心の原則として、「快感原則」の他に「現実原則」を示しています。これは、満足を延期して、快にいたるまでの迂回路をつくることです。一見すると、快感原則に反するように見えますが、必ずしもそうではありません。というのは、現実原則もまた、快の実現を目指すからで、その方法が違うだけです。子どものようにすぐ実現したいと思うか、大人のように実現できるまで我慢するかの違いです。しかし、大人がみなこれをできるかどうかは、別問題ですが。

＞ジークムント・フロイト：Basic 14 を参照

生き方の美学を求める

幸福を考える時、「性」の問題は切り離すことができません。快楽や苦痛が、どうしても性的なものと結びつくからです。そのため、**フロイト***では、快感原則を、「『教育しにくい』性的欲動の働き方」と述べています。

お上品な「幸福論」も、一皮むけば、ドロドロした「性愛論」になるわけです。

1984年にエイズで亡くなったフランスの哲学者ミシェル・フーコー*は、死の直前に『性の歴史』の第2巻と3巻を出版しましたが、その本はフーコー独自の「幸福論」と言えます。その中で、「性」と「幸福」は、どう関係づけられているのでしょうか。

フーコーは『性の歴史』第1巻（原著1976）で、近代的な「性」のあり方を問題にしましたが、晩年に出版された第2巻・3巻では、古代ギリシア・ローマ時代にさかのぼって議論しています。その理由について、彼はあるインタビューで次のように説明しています。

> 自分自身の生を個人的な芸術作品にするというこの練り上げ、たとえ集団的な諸基準に従っていたにせよ、それは古典古代における道徳的経験の、道徳的意志の中心にあったと私には思われます。（中略）探求とは、〈生存の美学〉の探求なのです。[10]

　一般に、性的欲望はきわめて強烈で、人間を支配して、その自己を見失わせることが少なくありません。こうした欲望に支配された生き方は、美しい生き方と言えるのでしょうか。社会的なモラルという観点から判断する以前に、そもそも生き方として美しいのか、醜いのか、ということです。性的欲望にかぎらず、貪欲な人を見ていると、その姿にあまり美しさを感じないのではないでしょうか。

　フーコーにとって、この美しい生き方をするには、欲望を全面否定するような禁欲的な生活が必要なわけではありません。『性の歴史』の第2巻・3巻が、それぞれ『快楽の活用』・『自己への配慮』とされていることからも、推察できます。その時ポイントになるのは、欲望をどう節制し、コントロールしていくか、そのような形で自己をどう配慮していくか、ということです。

　その時思い出されるのが、やや唐突な感じがするかもしれませんが、九鬼周造*が『「いき」の構造』（1930）で示した、日本的な「いき」の感性です。九鬼は「いき」の特色として、ドロドロした欲望ではなく、それに適度に距離をおきながら、相手と洒落た付き合いをすることだと示しました。こうした「いき」の感性が、はたして現代の日本人に残っているかどうかは問題ですが、少なくとも「いき」な生き方が、「生存の美学」として魅力的であることは認められます。

> ジークムント・フロイト：Basic 14 を参照
> ミシェル・フーコー：Basic 19 を参照
> 九鬼周造：19–20世紀の日本の哲学者。ヨーロッパに長く留学し、ハイデガーなどに学ぶ。帰国後に発表した『「いき」の構造』は、日本文化の研究書として高く評価されている。

人生は何のため？

　若いころ、「人は何のために生きるのか？」とか「人生の意味は何か？」と自問した経験は、多くの人がもっているのではないでしょうか。いろいろ考えた末、結局あまりハッキリせず、そのうちに問いを忘れてしまった、というのがオチかもしれません。「若気の至り」と言ってしまえば、それまでですが、疑問が消えたわけではないでしょう。

　第二次大戦後、フランスで**サルトル***などの「実存主義」が流行していたころ、一緒に活動していた小説家の**アルベール・カミュ***が、戦争中に書いた『シーシュポスの神話』(1942) という哲学エッセイがあります。ここで登場する「シーシュポス（シジフォス）」というのは、ギリシア神話に登場する英雄ですが、カミュは次のように書いています。

> 　神々がシーシュポスに科した刑罰は、休みなく岩をころがして、ある山の頂まで運び上げるというものであったが、ひとたび山頂にまで達すると、岩はそれ自体の重さでいつもころがり落ちてしまうのであった。無益で希望のない労働ほど怖ろしい懲罰はないと神々が考えたのは、たしかにいくらかはもっともなことであった。[11]

　この本の冒頭で、カミュは「真に重大な哲学上の問題」はただ一つしかない、と語っています。すなわち、「自殺ということだ。人生が生き

るに値するか否かを判断する、これが哲学の根本問題に答えることだ」。

　さて、これにどう答えたらいいのでしょうか。

　シーシュポスの刑罰を読むと、おそらく私たちの日常生活を見ているような錯覚に陥ります。月から金まで朝起床して、食事、電車、仕事、電車、帰宅、睡眠。シーシュポスといったいどこが違うのでしょうか。

　この時、「なぜ?」という問いを発したとたん、「倦怠の中ですべてがはじまる」とカミュは言います。

　実を言えば、この問いには仕掛けがあります。「人生全体」をいわば外から眺めると、おそらく「人生の意味（目的）」は理解できません。たとえば、宗教的な人ならば、「神のため」と答えるかもしれません。しかし、その時、「神は何のため?」と問うことができますが、そうなってしまうと、無限に進み、結局は答えが出ないのです。

　それに対して、人生の内部の一つの出来事に着目すれば、当然その目的（意味）は出てきます。

「仕事をするのは何のため?」──こう問われたら、いろいろ答えることができますが、それをさらに問いつづけないこと、これが一つの方法かもしれません。しかし、それで根本的な疑問が消えるわけではありませんが。

　毎日毎日、同じことがくりかえされ、生き甲斐と呼ばれる人生の目的が見出されない時、はたして生きる意味はあるのでしょうか。これに対して、ニーチェは「何もない（ニヒル）」と明言します。そのため彼は、「ニヒリズム」を唱えたのですが、それにもかかわらず、なぜ人は生きていくのでしょうか。これがニーチェの根本問題になっています。

> ジャン゠ポール・サルトル：20世紀のフランスの哲学者、作家。第二次世界大戦後、実存主義を提唱して、世界的な影響をおよぼした。主著は1943年に発表された『存在と無』、1960年の『弁証法的理性批判』。
> アルベール・カミュ：20世紀のフランスの小説家、評論家。1942年に発表した『異邦人』で広く知られ、1957年にノーベル文学賞を受賞している。

経験機械で幸福感をつくれば、幸福になれるのか

　幸福を考える時、たとえば「健康」とか「お金」とか「家族・友人」のように、客観的な形で理解することができます。

　しかし、それらのものをもっていても、幸福だと感じない人もいます。むしろ、**幸福とは、各人が心の中で感じるものであり、主観的な性質**というべきかもしれません。つまり、「幸福とは幸福感を抱くことである」というように、考えることができるのです。

　とすれば、幸福感をもつことができれば、その人は幸福だと言えるのでしょうか。この点を問題にしたのが、**ロバート・ノージック***というアメリカの哲学者です。

　彼は、『アナーキー・国家・ユートピア』（1974）を書いて、**リバタリアニズム***の代表者と目されていますが、その本の中で興味深い思考実験をいろいろ作って、話題となりました。その中でもとくに、「経験機械」という事例はよく問題になります。

> 　あなたが望むどんな経験でも与えてくれるような、経験機械があると仮定してみよう。超詐術師の神経心理学者たちがあなたの脳を刺戟して、（中略）あなたが考えたり感じたりするようにさせることができるとしよう。その間中ずっとあなたは、脳に電極を取りつけられたまま、タンクの中で漂っている。あなたの人生の様々な経験を予めプログラムした上で、あな

たはこの機械に一生繋がれているだろうか。[12]

映画の『マトリックス』を見た人であれば、この設定もそれほど奇異には感じないかもしれません。しかし、それを理解したうえで、いったいノージックは、この事例で何を問題にしているのでしょうか。

この経験機械というのは、人々が望む通りの世界を脳の中で作り出し、それを心の中で見たり感じたりできる、というものです。

簡単に言えば、人が眠っている時に見る夢の世界を、脳に刺激を加えることによって生み出すのです。

「こうなってほしい」という個人の願望を、実際に心の中で見させてくれます。経験機械につながれたら、望み通りの世界が心の中で見ることができるのです。

もちろん、現実には、タンクの中で漂い、脳に電極をつけられているのですが、その人の心の世界では、たとえば裕福であったり、異性にモテたり、仕事が成功したりするわけです。

すなわち、幸福感は十分得られると言えます。この幸福感が得られたとしたら、その人は幸福だと言えるのでしょうか。即座に「イエス」と言えないとすれば、「幸福＝幸福感」の等式は成立しないことになります。

Column

ギリシア時代から伝わる狂人の幸福について、ここで考えてみましょう。その狂人は、街を捨てて港に住み、そこに出入りする船を、すべて自分の船だと思い込むようになりました。船が入ってくるたびに、「無事でよかった！」と大喜びしていたのです。その状態を見かねた兄弟が、医者に連れていき、病気を治すことにしました。すると彼は、船を自分のものだと思わなくなったのですが、そのために何も喜びが湧かなくなったのです。彼の幸福感は、病気の治療によって、消滅し

てしまいました。この治療によって、彼は幸福になったのでしょうか？

> ロバート・ノージック：20−21世紀のアメリカの哲学者。ロールズのリベラリズムに対抗して、リバタリアニズムを提唱した。1974年に発表した『アナーキー・国家・ユートピア』は、卓抜な思考実験を駆使して、リベラリズムの原理を興味深く提示している。
> リバタリアニズム：20世紀のアメリカで、リベラリズムと区別される形で使われる「自由主義」であるが、とくに「自由尊重主義」や「自由至上主義」とも訳される。アメリカのリベラリズムは、経済的な側面では平等主義を採用し、個人の自由を制限するが、リバタリアニズムはそれを批判し、経済面でも自由を追求する。

幸福感から幸福は説明できない？

ラテン語で「メメント・モリ（memento mori）」と言われる有名な警句があります。「死を忘れるな」という意味ですが、人間にとって「死」が最大の不幸であることは、くりかえし語られてきました。だからこそ、日常的には、「死」を忘れ、さまざまな楽しみに向かうのかもしれません。

これに対して、「死を恐れるな」と語るのは、古代ギリシアの快楽主義者エピクロス*です。なぜなら、人間は「自分の死」がどんなものか知りえないからです。その理由について、彼は次のように述べています。

> 死は、もろもろの悪いもののうちで最も恐ろしいものとされているが、じつはわれわれにとって何ものでもないのである。なぜかといえば、われわれが存するかぎり、死は現に存せず、死が現に存するときには、もはやわれわれは存しないからである。そこで、死は、生きているものにも、すでに死んだものにも、かかわりがない、（略）(13)

死について私たちが知っているのは、あくまでも「他人の死」です。それを経験しながら、自分の場合を想定して、恐ろしいものと判断しているのです。しかし、エピクロスが明らかにするのは、それは間違いなのです。自分の死については、（まだ死んでいないので）経験できませんし、

経験できる場合は、(死んでいるので) 死を経験してはいません。

　ここにあるのは、幸福感を幸福と見なすのと同じ発想です。「死」は「死を経験する人」にしか知りえない、とする考えです。

　この考えを検討するため、現代の哲学者が示した別の発想を、確認しておきましょう。

　アメリカのトマス・ネーゲル*は脳に損傷を受けて、幼児のような精神状態に退行した人物を例にしています。

　この人物は、かつてとても聡明だったのですが、その損傷のために、現在では「生後3ヶ月の赤ん坊」と同じ状態です。彼の欲求は、保護者によって満たされていますので、何の不安感も嫌悪感もなく、満足しているとされます。

　問題は、この状況にある人物は、幸福だと言えるだろうか、ということです。

　幸福感という点から見ると、この人物は自分の欲求が十分満たされ、悩みや不安もないのですから、「幸福」だと言ってよいかもしれません。ところが、ネーゲルは、「このような状況は、通常、彼の友人、親類、知人たちにとってだけでなく、誰よりも彼自身にとって、重大な不幸と見なされるだろう」と語っています。どうしてなのでしょうか。

　たしかに、主観的な経験という点では、彼は現在の状態に満足しているでしょう。しかし、ネーゲルによれば、それは幸福とは呼べないのです。その理由は、「聡明だった人物が脳に損傷を受けなかったならば、自然な成長によって実現したであろう可能性が閉ざされた」からです。人が幸福であるのは、その人の可能性を実現できることにあるのです。反対に不幸なのは、その可能性が実現できないことです。

　ここから分かるのは、幸福であるかどうかは、幸福感だけでなく、可能性が実現できるかどうかという点も、考慮する必要があります。そして、言うまでもなく、死が不幸であるのは、その人物のあらゆる可能性を奪ってしまうからです。

Column

人間が認知症になった時、幸福か不幸かが問われることがあります。これについては、幸福感という観点と可能性の実現という観点から答えることができます。幸福感という点で言えば、自分の欲求が満たされていれば、幸福に違いありません。しかし、認知症にならなかった時と比較すれば、可能性の幅は大きく制限されます。それでも、あらゆる可能性を奪ってしまう死にくらべると、大きな差があります。

> **エピクロス**：紀元前4-前3世紀ごろの古代ギリシアの哲学者。エピクロス派の始祖であり、原子論と快楽主義を唱えた。
> **トマス・ネーゲル**：20-21世紀の存命するアメリカの哲学者。1979年に発表した『コウモリであるとはどのようなことか』で、クオリア問題が論じられ、後にさまざまな議論を呼びおこした。

宗教
Chapter5
Religion

何
を
信
じ
る
か

　1世紀ほど前の予想では、科学が発展すれば宗教はやがて消滅するだろう、と考えられていました。ところが、そのあと科学が発展したにもかかわらず、宗教はいっこうに衰える気配を見せません。

　南米やアフリカでは、宗教を信仰する人々は、増加しています。ヨーロッパではキリスト教信者の割合は低下したのですが、イスラム教の信仰者は増えています。

　また、アメリカでは、主流派プロテスタントは減少していますが、原理主義的な福音派は増加傾向にあります。

　こうした流れから、ドイツの**ウルリッヒ・ベック**＊は次のように述べています。

　二一世紀初頭に見られた宗教の回帰現象は、一九七〇年代にいたるまで二〇〇年以上にわたって続いてきた社会通念conventional wisdomを破るものだった。[1]

　いままでの予想に反して、科学が発展しても、宗教が消滅することはなさそうです。それにしても、宗教が消滅しない理由は、いったいどこにあるのでしょうか。

　それを考えるために、「信じる」という基本的な態度にさかのぼって、あらためて考えることにしましょう。

　英語で「信じる」を意味するbelieve（羅credo、仏croire、独glauben）という言葉は、訳す時、場面に応じて変化します。

　たとえば、宗教の場合だと「信仰」といいますが、政治や道徳のような実践的な問題では「信念」となります。

図19　知識と信仰の関係

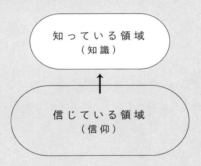

　しかし、この言葉はもともと、特定の分野だけにかかわるわけではありません。人間活動のどんな領域にも、「信じること」が働いているからです。その時には、短く「信」と呼ぶことが一般的です。

　こう考えると、宗教の問題は、大きな広がりをもっているのが分かります。

「信仰」と言えば、宗教心のない人には関係なさそうに見えますが、無宗教の人でも「信」がまったくないわけではありません。というのも、**人間活動の大半が、「信じること」にもとづいているからです。**

ふだんは気にしませんが、誰かと会話する時、私たちはその人が「人間」であり、「心がある」と信じています。しかし、それが正しいかどうか、確かめたわけではありません。ただ、なんとなく漠然と信じているにすぎないのではないでしょうか。

また、通勤や通学する時、会社や学校がいつもの通りに存続し、そこに行くまでの電車やバスなども、いつものように動いていると信じているでしょう。事故や事件、あるいは災害などもありますが、特別な事情がないかぎり、ふつうは疑うことなく、信じているのではないでしょうか。

ここから分かるのは、私たちの行動や知識が、「信」にもとづいていることです。

いちいち「本当かな？」と試していったら、おそらく何もできなくなるでしょう。こうした広大な「信」の領域が基盤となって、一つひとつの行動や知識が可能になるわけです。むしろ、知識として確認できる領域は、きわめて限定されているのかもしれません。

この信じている領域を「信仰」と呼ぶとすれば、私たちの「知識」はまさしく信仰に支えられている、と言うことができます。ここに、宗教の根強い根拠があるのではないでしょうか。

> **ウルリッヒ・ベック**：20-21 世紀のドイツの社会学者。チェルノブイリ原発事故直後に出版した『リスク社会』がベストセラーになった。

不合理ゆえに われ信ず

　信と知、あるいは宗教と哲学の関係を考える時、このフレーズは歴史上とても有名です。そのため、日本でも**埴谷雄高***の本のタイトルにもなるのですが、その意味はどう理解したらいいのでしょうか。

　これはもともと、2〜3世紀のキリスト教神学者である**テルトゥリアヌス***に由来する言葉だとされています。ただし、そのまま彼の著作にあるわけではありません。後になって、関連する他の言葉とともに、整えられたものです。それぞれを、ラテン語とともに挙げておきます。

　①不合理ゆえにわれ信ず（Credo quia absurdum.）
　②知らんがためにわれ信ず（Credo ut intelligam.）
　③信ぜんがためにわれ知る（Intelligo ut credam.）

　この三つで、基本になっているのは、「信じること（信）」と「知ること（知）」、さらには宗教（信仰）と哲学（知識）の関係です。三つのフレーズを図解すると、次のようになります。

「不合理ゆえにわれ信ず」は、信と知が無関係であることを基本としています。

　テルトゥリアヌスの時代には、ギリシア哲学に対してキリスト教が勢

図20 信じること（信）と知ること（知）

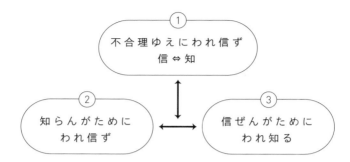

力をもちはじめ、両者の関係をどう考えるかが問題となってきました。テルトゥリアヌスに由来するフレーズは、両者をきっぱりと分けて考えようとするものです。信仰と知識はまったく違ったものであり、知識としては認められないものであるからこそ、むしろ信仰として受け入れていこうと考えるわけです。

　それに対して、他の二つのフレーズは宗教（信仰）か哲学（知識）のいずれかを、目的とするものです。一方の「知らんがためにわれ信ず」は、中世哲学ではアンセルムス*の立場とされ、信仰が理性認識へ導くとされます。他方の「信ぜんがためにわれ知る」は、アベラール*の立場とされ、理性認識が信仰へ導くと見なされました。

　信と知という二つの項に対して、三つの関係があるのですが、この考え方は中世だけでなく、近代にも、そして現代にまで続いています。したがって、それぞれの哲学者（あるいは人々）の見解を理解する時、この側面から考えると、伝統とのつながりも見えてきます。

　誤解のないように、一つだけ注意点を確認しておきます。「不合理ゆえにわれ信ず」と言ったとしても、「不合理なものをすべて信じる」わけではありません。

　むしろ、知識として論証しようとしても、確かめられないものがある

時、その場合には、合理的に論証するのではなく、信じる以外にないわけです。これは、現代でも十分に通用する考えでしょう。

Column

かつて「中世」と言えば、暗黒の時代と考えられ、哲学でもキリスト教に支配された重苦しいイメージがつきまとっていました。中世後期の哲学は、スコラ哲学と呼ばれますが、「スコラ的」という表現は、部外者には重要でもない事柄を、ことさら煩雑な議論をすることのように使われてきました。いずれも、中世に対してネガティヴな印象が支配していたのです。ところが、最近では、中世哲学に対する伝統的なイメージが払しょくされ、その豊かな内容が見直されつつあります。

> **埴谷雄高**：20世紀の日本の作家、評論家。第二次大戦前に左翼運動で投獄された。戦後は、小説『死霊』を執筆し、戦後世代の思想形成に大きな影響を与えた。『不合理ゆえに吾信ず』はアフォリズム集。
> **テルトゥリアヌス**：2-3世紀のキリスト教神学者。「不合理ゆえにわれ信ず」という言葉が、テルトゥリアヌスの言葉とされるが、実際には文言が異なる。
> **アンセルムス**：11-12世紀の中世イギリスの哲学者。「実在論」を唱え、スコラ哲学の父とも呼ばれ、「神の存在論的証明」を提起した。
> **ピエール・アベラール**：11-12世紀の中世フランスの哲学者。唯名論の創始者とされ、スコラ哲学の基礎を築く。弟子のエロイーズとの恋愛でも有名である。

機械仕掛けの神と不動の動者

宗教の効能を考える時、日本ではしばしば「苦しい時の神頼み」という表現が使われます。いい意味で使われてはいませんが、これに類したものが、哲学でも言われてきました。それが「機械仕掛けの神」と呼ばれるものです。ラテン語では、「デウス・エクス・マキナ（deus ex machina）」と言われます。

もとをただせば、この言葉はギリシア時代の演劇の技法に由来しています。劇の中で困難な事態が生じた時、それを解決するために、神に扮した俳優が登場したのです。しかも出てくる時、クレーンのようなもの（機械）を使って、俳優が宙空を飛んで現われたそうです。文字通り、「機械仕掛けから出てくる神」だったのです。

この手法は、悲劇作家のエウリピデスが好んだ手法ですが、哲学者の**アリストテレス***は『詩学』の中で、この方法を批判しています。彼によれば、演劇の展開は、あくまでも必然性を伴って進めなくてはならないのに、何の脈絡もなく突然神が登場し、問題を解決するのは、推奨できないというわけです。

この「機械仕掛けの神」は、哲学でも、しばしば批判の対象となってきました。たとえば、アリストテレスは、『形而上学』の中でアナクサゴラスの考えを、「機械仕掛けの神」として批判しています。[2]「物事がどのような原因で必然的にそうあるのかという難問で行き詰まった場

合」に、アナクサゴラスは「ヌース（理性）」を担ぎ出してくるからです。ここで「ヌース」というのは、宇宙を秩序づける原因と考えることができます。**通常は、自然界のさまざまな物質を原因として説明するのに、うまくいかなくなった時、突然非物質的な「ヌース」がもち出される、**というわけです。

　では、「機械仕掛けの神」を批判するアリストテレスは、「神」をどう考えているのでしょうか。彼によれば、自然界を観察する時、すべてのものは「自分自身が動かされ動くことによって、他のものを動かす」とされます。これを最後まで突きつめていくと、「自分自身は不動のままで、他を動かすもの」が想定できます。そうでなければ、「動かすもの－動かされるもの」の関係は、無限につづき、終わりがないからです。こうして「他から動かされず、他のものを動かすもの（不動の動者）」を、アリストテレスは「神」と考えています。

　しかし、アリストテレスが「神」について説明している議論を見ると、はたして「機械仕掛けの神」とどれほど違うのか、疑問に感じるかもしれません。動かすものと動かされるものの関係をどこかで終わらせるために「不動の動者」を呼び出したように見えるのではないでしょうか。

　だとすれば、「機械仕掛けの神」は、簡単に批判して済ますことはできません。どんな宗教、どんな哲学であっても、「神」を想定する場合、それには他のものとは違った役割が与えられます。これは「超越的」な次元と呼ぶことができます。しかし、どうしてこれが可能なのでしょうか。どこかで、「機械仕掛けの神」を要求するのかもしれません。

＞アリストテレス：Basic 2 を参照

神は完全であるから存在する

　神が存在するかどうか、どうやって証明できるのでしょうか。その中で、代表的なのが、「神の存在論的証明」と呼ばれるものです。最初は、中世の哲学者アンセルムス*が示したものです。そのあと近代のデカルト*も使い、さらにはカント*が批判しています。

　どんな証明かを簡単に言えば、神の「本質」からその「存在」を導出するものです。たとえば、神については、しばしば「完全なもの」と規定されます。この時、神に「存在する」が含まれるかどうか、考えてみましょう。もし「存在しない」ということになれば、「神は完全なもの」という規定に反しています。したがって、「神は存在する」と言わなければなりません。（証明終わり）

　この証明を読んだ時、はたして納得できるでしょうか。なんとなく、騙されたような感触をもつかもしれません。とはいえ、そのどこに問題があるのか、はっきりと示すこともできないのです。それを考えるために、推論の形式で表わしてみましょう。

> 神は完全なものである。
> 完全なものには、「存在する」は含まれている。
> したがって、神は存在する。

　この証明に対して、明確な形で批判したのが18世紀ドイツの哲学者カントです。彼は、『純粋理性批判』の中で、神の存在論的証明を批判して、「〈存在する〉は、レアールな述語ではない」[3]と論じています。

　この議論は有名なのですが、実を言えば、「レアール（real）」という言葉の意味がいまとは違っています。そのため、カントの議論は、あまり理解されていません。

　現在「レアール（real）」という言葉は、「実在的」と訳されます。この時、「実在的」というのは、「現実的」と同じ意味と見なされています。ところが、カントの用法では、「レアール（real）」は、現実に存在するという意味ではありません。そうでなければ、「存在するは、レアールな述語ではない」という表現が意味不明になってしまいます。カントでは「レアール」は「内容や事象を示す」という意味で語られています。つまり、「神は○○である」という形で、「何であるか」（本質）の規定を示す、という意味で「レアール」が語られます。「神は愛である」とか、「神は不動のものである」というようにです。

　しかし、カントによれば、「存在する」という述語は、そうした神の何であるか（愛、不動のもののように）を示すものではないというわけです。つまり、「愛である」や「不動である」と同じように、「存在する」とは言えないのです。

　<u>「神は愛である」や「神は不動である」というのは、神の本質を示す概念ですが、「神は存在する」というのは、神の現実存在を示すもので、まったく違ったものなのです。</u>一般化して言えば、「本質（なんであるか）」からは、「実存（現に存在する）」は導出できないのです。こう考えると、「神が存在する」ということを証明するのは、とても難しいことが分かります。

Column

　現在使われている哲学の重要な概念は、歴史的にいつも同じ意味で使

われてきたわけではありません。ここで確認した「レアール（real）」もそうですが、しばしば使われる「主観（subject）」、「客観（object）」も、注意すべき概念です。時代によって、現代とはまったく逆の意味をもつことさえあります。また、近ごろ、実在論（realism）が一種の流行になっていますが、この概念も歴史的に意味が大きく変わっています。したがって、どんな意味で使われているのか、歴史的な文脈にも注意が必要です。

＞アンセルムス：Basic 47 を参照
＞ルネ・デカルト：Basic 12 を参照
＞イマヌエル・カント：Basic 1 を参照

Part2 真理を探索する

神が人間を作ったのではなく、人間が神を作った

Basic50

　キリスト教の教義には、天地創造説が含まれますので、神と人間の関係については、「神が人間を作った」と信じられています。これに対して、19世紀ドイツの哲学者であるフォイエルバッハ*は、「人間が神を作った」と逆転させました。

　『キリスト教の本質』（1841）において、フォイエルバッハは人間を「自己意識」と捉えています。つまり、人間が対象として知るのは、自分の類的本質（人間の本質）だと理解するのです。そのため、**人間が宗教において、神の本質と見なすものは、実は人間自身の本質に他ならないの**です。神の本質として考えているのは、人間自身の理想化された本質なのです。たとえば「神は全知全能である」と言うかもしれませんが、それは人間自身の理想（「全知全能」）がいわば投影されているからです。

　フォイエルバッハが、人間と神の関係を説明する時、もう一つのポイントを付け加えています。それは、「疎外」という観点です。「疎外」というのは、自分自身から疎遠化していくことです。人間が自分自身の本質を神へと対象化する時、神の方は豊かになり強大化するのに対して、他方で人間は、貧困化し小さなものになっていくのです。

> 　神が主体的人間的であればあるほど、人間はそれだけますます多く自分の主体性と人間性とを疎外する。[4]

こうした疎外された関係が、人間と神の中にでき上がっていくのです。宗教では、人間は無力で、取るに足らないものとなるのですが、逆に神の方は全知全能で、何でもできる強力な能力をもつことになります。人間が神を作ったにもかかわらず、その神にひれ伏し、服従するという逆説が生まれるのです。これをフォイエルバッハは、キリスト教の本質として暴き立てました。

言うまでもなく、人間と神の関係が逆転する現象は、キリスト教だけにかぎりません。多くの宗教では、「神」とされるものが、人間を超えた強大な力をもつからです。ギリシアの神々や、ユダヤ教やイスラム教の唯一の神なども、キリスト教の神と同じように、人間を超えた絶対的な力をもっていて、人間を支配すると考えられています。しかし、そうした神を作り出したのは、人間に他ならないのです。

Column

キリスト教を批判したフォイエルバッハは、その後どこに向かうのでしょうか。神を作ったのが人間ですから、次に向かうのは人間にほかなりません。フォイエルバッハは、疎外のない「人間学」を構築することを目指しました。彼によれば、人間は「類的存在」なので、自分ひとりで単独に存在するのではなく、「私」と「君」の区別を認めつつ、両者の統一を目指して「共同体」を志向します。その時原理となるのが、「愛」と考えられています。こうして、フォイエルバッハがキリスト教に代わって求めるのが、「愛」にもとづく人間学なのです。

> ルートヴィヒ・アンドレアス・フォイエルバッハ：19世紀のドイツの哲学者。ヘーゲル学派の一人で、ヘーゲル批判から唯物論の立場を打ち出し、独自の「人間学」を提唱する。マルクスやエンゲルスに、大きな影響を与え、その後批判される。

宗教は民衆の
アヘンである

　人間が神を作ったのだとすれば、人間にとって宗教は幻想にほかなりません。だとすれば、人間が目を覚ませば、宗教は消えてなくなりそうに見えます。ところが、フォイエルバッハがキリスト教の本質を暴露した後でも、宗教の力は衰えることがありません。どうしてでしょうか。

　その理由は、宗教という幻想を必要とする人間が、多くいるからです。フォイエルバッハの主張を受け、**マルクス***は次のように語っています。

> 　宗教という悲惨は、現実の悲惨を表現するものであると同時に、現実の悲惨に抗議するものでもあるのだ。宗教は圧迫された生き物の溜め息であり、無情な世界における心情であり、精神なき状態の精神なのである。宗教は民衆の阿片なのだ。(5)

　こう述べた後、「民衆に幻想の幸福を与える宗教を廃棄することは、彼らに現実の幸福を与えるよう要求することだ」と続けています。ポイントは、「宗教は幻想だから、廃止しよう」ということではありません。

　しばしば誤解されますが、マルクスは「宗教はアヘンだから、使う（信じる）のをやめよう」と主張するわけではありません。むしろ、アヘンを使わざるを得ない（宗教を信じる）現実の状況こそが、問題だというのです。

ここで分かるのは、マルクスの基本的な考えが、宗教批判から現実批判へと向かうことです。というのは、**宗教の幻想を払いのけよと叫んでも、宗教の幻想を必要とする悲惨な人々がいれば、あまり効果がない**からです。したがって、何よりもまず、現実の悲惨な状況を変えることが必要になるというわけです。これは、薬物依存症の場合も同じでしょう。

　とはいえ、人間にとっての悲惨な状況とは、どんなものでしょうか。マルクスの場合は、経済的・社会的な環境が、人間の悲惨と考えられています。だからこそ、これを変革せよという要求も出てきます。

　ところが、パスカル*によれば、人間が死すべきものという条件にこそ悲惨があります。実際、人がしばしば宗教を求めるのは、死に直面した時が少なくありません。しかし、この悲惨については、社会的な現実のように、この条件を変えることができません。

　とすれば、社会的な革命も簡単ではありませんが、人間が死から逃れることはいっそう難しいと言えます。ここに宗教を求める理由があるとすれば、宗教批判は社会変革だけでは簡単には成就しないでしょう。

Column

既存の宗教が批判され、なくなることはあります。しかし、その後また、新たな宗教が起こってきます。あるいは、宗教に類したものが起こってきます。たとえば、マルクス主義では、宗教が批判され、社会変革が唱えられますが、だからと言って、宗教そのものが消滅するわけではありません。これは、社会主義革命が行われた後のどの社会を見ても、宗教はしぶとく生き残っている根拠でもあります。

> **カール・マルクス**：19世紀のドイツ出身の哲学者、経済学者、革命家。ヘーゲルに影響を受けて、哲学を志したが、その後エンゲルスとともにヘーゲル批判によって、資本主義に代わる新たな社会理論を形成した。主著の『資本論』は、古典とされている。
> **ブレーズ・パスカル**：Basic 9 を参照

神は死んだ

「神」という言葉は、宗教的な信仰の対象だけでなく、広く人間が信じているものを指して使われることがあります。その代表的な例がニーチェ*かもしれません。たとえば、『ツァラトゥストラ』で、次のように語られています。

> かつては、神を冒瀆することが最大の冒瀆であった。しかし、神は死んだ。したがってこれら神の冒瀆者たちもなくなった。(6)

こうした「神の死」は、「ニヒリズム」と呼ばれます。「ニヒル」というのは、「何もない（英語のnothing)」を表わすラテン語から来ています。

> ニヒリズムとは何を意味するのか？——至高の諸価値がその価値を剥奪されるということ。目標が欠けている。「何のために？」への答えが欠けている。(7)

19世紀末の哲学者であるニーチェの確信では、キリスト教の神への信仰が失われはじめたと同時に、「絶対的な価値」への信頼もなくなりつつあります。こうして、**何が正しいのか、何がよいのか、何が美しいのか、といった問いに対して、現代人は確固とした答えをもてないので**

す。たとえ、それに答えたとしても、それに対する決定的な基準が、示せなくなったのです。

こうした態度は、相対主義と呼ばれていますが、神を信じるか信じないかという宗教上の問題が、物事の真か偽、善か悪、美か醜の判断と関係しているのです。神を信じなくなったら、絶対的な基準がなくなり、意見の対立だけが生み出される、というわけです。

これについては、異論も可能です。たとえ神を信じていたとしても、それぞれ信じている神が異なれば、対立が激しくなるからです。歴史を見ると、宗教間の戦争は、もっとも厳しく、残虐な戦争になっています。全人類が一つの神を信じるなら、話は別かもしれませんが、信じている神がそれぞれ違えば、対立は大きくなります。信じている神が同じであっても、異端と呼ばれる人は皆無ではありませんし、正統と異端の対立は生易しくはありません。

「神が死んだ」としても、「神がまだ死んでいない」としても、人間同士の対立が消えることはありません。宗教上の神が死んだとしても、他の神々はまだ死んでいないのかもしれません。

Column

「神は死んだ」は、20世紀の合言葉になりました。絶対的な価値や基準がなくなって、多様な意見や主張が乱立するようになりました。これは一方では、解放的な機能を果たしています。世界中で植民地が解放されると、いままで西洋中心主義だった考えが力を失い、文化相対主義が流行するようになりました。人々の自由が広がり、多様性（ダイバーシティ）が積極的に唱えられました。しかし、他方で、20世紀も後半になると、相対主義に対する批判もわき起こってきました。

＞フリードリヒ・ニーチェ：Basic 9 を参照

宗教という現象は科学的に解明できる

　21世紀になって、アメリカでは「新無神論」が注目されるようになりましたが、その内容は提唱者によってさまざまです。その一人、進化生物学者のリチャード・ドーキンス＊は、2006年に『神は妄想である』を出版しました。その中でドーキンスは、宗教について次のように述べています。

　　宗教の事実上の根拠──神がいるという仮説──はもちこたえることができない。神はほぼまちがいなく存在しない。(8)

　ドーキンスと同じ時期に、哲学者のダニエル・デネット＊は『解明される宗教』を刊行して、新無神論に対して新たな論拠を提出しました。デネットの無神論は、「神が存在しない」と主張するわけではなく、むしろ宗教という現象を科学的に解明しようとします。というのも、神を信じるような宗教的態度そのものは、自然現象のうちの一つであって、科学的に解明できるからです。

　　たとえ神が現実に存在し、神が私たちの愛すべき創造者であり、知的で意識的な創造者であることが、たとえ真実であったとしても、それでもやはり、宗教それ自体は、諸現象の複雑な複合体として、完全に自然的な現

象である。(9)

　デネットが採用する方法は、自然主義と呼ばれますが、「神が存在するか、しないか」という宗教上の問題には立ち入らずに、宗教を信じる態度を自然科学的に解明するのです。というのも、「神が存在するかどうか」は科学的に解明できませんが、神を信じるようになる人間の態度については、自然科学的に解明できるからです。その理由は、どこにあるのでしょうか。

　デネットは、人間が神を信じることの根底には、「行為主体を過敏に探知する装置（hyperactive agency detection device 略してHADD）」が潜んでいる、と考えています。たとえば、草むらでガサガサという音がしたら、「何かいるかも」と考え、少し身構えるのです。本当に危険なものがそこに隠れているかどうかは分からないとしても、そのように想定した方が、生存の戦略としては有利に働く、と考えられます。

　ここから「神」という「行為主体」を想定するには、少しばかり距離があるかもしれませんが、人間がどうして宗教を信じるようになるのかについては、理解できるのではないでしょうか。

　　動きがあればどこでも行為主体を探すという私たちの過敏な傾向性によって生み出された偽りの警告が、宗教という真珠が育つための〔核になる〕刺激物である。(9)

　HADDという人間に備わる装置によって、人間は生存に有利なように宗教を生み出していった、というわけです。

Column

　21世紀になって、「新無神論」が主張されるようになったのは、たとえばアメリカで次のような意見が、声高に叫ばれていることによりま

す。つまり、「神が、キリスト誕生の数千年前のある時点で、宇宙と生物を創造したので、進化論や現代宇宙論は間違いである」という意見です。

この考えにもとづいて、進化論や宇宙科学を学校で教えることに反対し、裁判が起こされることもありました。こうした、原理主義的な宗教に対して、何よりも科学的観点から、宗教が誤りであることを示す必要があったのです。このあたりの事情を知らないと、なぜ21世紀はじめに、新無神論が唱えられたのか、理解に苦しむかもしれません。

> **リチャード・ドーキンス**：20-21世紀の存命するイギリスの進化生物学者・動物行動学者。1976年に発表した『利己的な遺伝子』は世界的なベストセラーになり、一躍ドーキンスは時の人になる。2006年の『神は妄想である』において、再び論争（新無神論論争）を巻き起こした。

> **ダニエル・デネット**：20-21世紀の存命するアメリカの哲学者。自然科学にもとづく哲学を構想し、心の哲学や科学哲学を提示している。

知るためには信じなくてはならない

　宗教の基本的な態度は、信じることにあります。神が存在するかどうか、科学的に論証されていなくても、信じることは揺るがないのです。しかし、そもそも「信じる」とはどんなことなのでしょうか。神を信じるかどうかは別にして、「信じる」ことの意味を理解する必要があります。

　19–20世紀の哲学者ヴィトゲンシュタイン*は、がんで亡くなる直前まで、『確実性の問題』と題される原稿を書いていました。その時、もっとも重要なテーマになっていたのが、「信じる」ことでした。たとえば、次のように語られています。

> 　私たちは子供のときさまざまな事実を学び、例えば、どの人間にも脳があるということを学び、そしてそれらの諸事実を信じてきた。私は、オーストラリア大陸があり、その形はかくかくであることを信じている。また私には祖父母があり、私の両親だと言っている人が私の本当の両親であるということを信じてきた。こうした信念を決して言葉に表したり、それが事実であるなどという考えを抱いたことなどはないとしてもいいのだ。[10]
> （引用者訳）

　こうした信じることの対概念は、疑うことです。近代哲学者の**デカル**

ト*は、**真実を手に入れるために、すべてを徹底的に疑うという方法的懐疑を遂行しました。** そのため彼は、他人から教えられた知識や、感覚から受け取った知識、数学などの知識も、いったんはすべて疑うことにしたのです。

しかし、ヴィトゲンシュタインは、**疑うためにはまず、学ぶことが必要であり、さらには信じることが前提される**、と考えています。つまり、デカルトのように疑うためには、あらかじめ信じている必要があるわけです。

> すべてを疑おうとするものは、疑うところまでたどりつくこともないだろう。疑いのゲーム自身、すでに確実性を前提しているのだ。
> 疑いえないものに支えられてこそ疑いは成立する。[10]（引用者訳）

確実な論拠や証拠にもとづいて知っているのは、きわめてかぎられています。しかし、そうした形で知られていなくても、疑うことなく信じている膨大な領域が広がっているのです。それを一つひとつ挙げることはしなくても、信じることは私たちの生活の地盤になっているのです。

こうした地盤があってこそ、疑ってみたり、真実かどうかを確かめたりすることができるのです。

ふだんは、信じていることをことさら疑って、あらためて確かめようとすることはしませんが、デカルトのように一生に一度は疑ってみようとする哲学者もいます。

しかし、その時でさえも、デカルトはすべてを疑ったわけではありません。というのも、疑う過程で使っている言葉の意味については、疑われていないからです。

とすれば、支離滅裂なことを言い出す狂人にならなければ、すべてを疑うことはできないと言うべきでしょう。疑うためには、すでに多くのことが信じられていなくてはならないのです。したがって、信じること

は論証されていないからと言って、軽視すべきではありません。

＞ルートヴィヒ・ヴィトゲンシュタイン：Basic 5 を参照
＞ルネ・デカルト：Basic 12 を参照

知識は真なる信念の正当化であるか？

　信じること（信念）と知ること（知識）の関係については、伝統的には「知識は正当化された真の信念である」と理解されてきました。これは、古代ギリシアのプラトン*や近代ドイツのカント*でも、同じように考えています。これを、形式的な形で書くと、次のようになります。

　SがPを知っているとは、次の時にかぎる。
　①Sは、Pを信じている。
　②Pが、真である。
　③Sは、Pを信じることにおいて、正当化されている。

　たとえば、「太郎がA社に採用されることを知っている」という場合、①太郎がそれを信じており、②人事担当者から電話で連絡があり、③太郎が実際に採用されるからです。この定式は、一般に「正当化された真なる信念（Justified True Belief 略してJTB）」と表現されています。信念のうちで、正当化されたものだけが、真の知識と見なすことができる、というものです。

　この考えは、プラトン以来、長いあいだ正しいものだと見なされてきました。ところが、アメリカの現代哲学者ゲティア*は、1963年に「正当化された真なる信念は知識か」というわずか数ページの論文を発表し

て、この定式化に対する反論を示したのです。

それは次のようなものです。

> スミスとジョーンズが、同じ就職先に応募している。スミスは、その会社の社長から、「採用されるのはジョーンズだ」というのを聞いた。また、スミスは10分前に、ジョーンズのポケットに10枚の硬貨があることを確認した。スミスが、次のように考えるとしてみよう。
>
> （a）採用されるのはジョーンズであり、なおかつジョーンズのポケットに10枚の硬貨が入っている。
>
> そこで、スミスは（a）を根拠に次の（b）を信じるようになった。
>
> （b）採用される者のポケットには、10枚の硬貨が入っている。
>
> ところが、スミスは気づいていないが、採用されるのは実はスミスであり、スミスのポケットにたまたま10枚の硬貨が入っていた。[11]
>
> （引用者訳）

やや複雑ですが、JTBの条件は満たされているように見えます。

スミスは、（b）を信じています。また、（b）はスミスのあずかり知らぬことですが、真です。しかも、（a）から（b）は論理的に帰結しますから、スミスは（b）を信じていることにおいて正当化されています。

しかしながら、「スミスが（b）を知っている」とは言えそうもありません。というのは、（b）が真実であるのは、偶然であるように思われるからです。こうして、JTBには反例が可能である、とされるのです。

このような反論をふまえて、信と知に対する伝統的な定式化に対して、さまざまな改良が加えられていますが、論争はまだ続いています。こうした議論をふまえると、論理的なレベルだけでなく、「信仰」とされた宗教に何が欠けているのか、問題になりそうです。

　宗教は信念にすぎないとして、しばしば正当化されていないものと扱われてきました。そうだとすれば、宗教の信念は、真理ではないと言うべきなのでしょうか。

　ところが、宗教の信者は、自分たちの信念が真理であると考えています。その時、知識だけでなく、真理の意味もあらためて考える必要がありそうです。

> プラトン：Basic 2 を参照
> イマヌエル・カント：Basic 1 を参照
> エドムンド・ゲティア：20-21 世紀のアメリカの哲学者。1963 年に発表したわずか 3 ページの論文が、「ゲティア問題」として世界的に話題を呼び、注目された。

世界
Universe

世界は謎に満ちている

　哲学は、探究する時領域を限定することがありません。その理由は、哲学がもともと「すべて」を問い直すことにあります。この「すべて」を表現するのが、「世界」です。したがって、哲学では「世界」という概念がしばしば登場します。

　しかし、哲学者たちが「世界」という言葉を使う時、必ずしも一義的ではないことに注意しておきましょう。つまり、「世界」の意味は多義的であることが、最初に確認しておく点です。

　それぞれの哲学者が同じ「世界」という言葉を使っても、想定している「世界」が違うのです。

　言いかえると、哲学者たちはそれぞれ構想する哲学の違いに応じて、「世界」を定義してきました。

　したがって、「世界」を考える時は、正しい答えを見つけようとするのではなく、むしろ哲学者たちが「世界」の意味をどう定義しているのか──この点に注意を払う必要があります。

「世界」という言葉は、ギリシア語やラテン語では「コスモス」に当たり、調和のとれた全体を指していました。

　調和がとれた全体であれば、小さくてもコスモス（ミクロコスモス）と呼ばれ、マクロコスモスと対比されました。一般には、ミクロコスモスは人間を指し、マクロコスモスは大宇宙を意味しています。

　ただし、宇宙という言葉には、「ユニヴァース」という別系統の言葉があり、「コスモス」とは区別して使われます。しかも、哲学者によっては、「コスモス（世界）」と「ユニヴァース（宇宙）」を対比する場合もありますので、注意が必要です。

　このように、何を「世界」と考えるかは、異なっていますが、「秩序をもった全体」という点で、共通の構造があります。その一つは、**全体を構成する要素があること**です。

　また、**それぞれの要素が他の要素と関係をもち、秩序を構成すること**です。さらに、**それらの要素が全体としての世界においてあること**です。

　こうして、「要素─秩序─全体」として「世界」を理解することが、重要な視点になります。このパートでは、哲学者たちの有名な世界論を提示しますので、こうした視点を念頭に置きながら、それぞれの「世界」を確認してください。

学校概念としての哲学と世界概念としての哲学

　近代の哲学者である**デカルト***は、『世界論』を構想し執筆したのですが、ガリレオ裁判のために、その出版を断念しました。

　その時、デカルトが構想した世界論は、地動説を取り入れた自然学だったのです。デカルトが考えた「世界」というのは、「宇宙」であることが分かります。

　ところが、デカルトは自伝とも言うべき『方法序説』の中で、別の「世界」について語っています。学校で学んだ「書物の学問」と対比する形で、「世界の書物」について語るのですが、この時の「世界」は人の世界という意味での「世間」です。そのため、「世間という大きな書物」と訳されています。[(1)]

　こうした「世間（世界）の学問」と「書物の学問」の対比を踏襲しているのが、**カント***です。カントは「世界知（Weltkenntnis）」という言葉を使いながら、「**単に学校のためのみならず、生活のために役立つ**」知識と説明しています。そのため、この言葉には、「世間知」という訳が使われています。「世界」は人々の世界として、「世間」を意味するのです。

　こうした使い方を鮮明に打ち出すのが、「世界（世間）概念としての哲学」という考えです。カントは、主著である『純粋理性批判』の「方法論」の中で、「学校概念」と「世界概念」を区別して、次のように述べ

ています。

> 　哲学という概念は、一つの学校概念にすぎない、すなわち、学としての
> み求められ、そのさいこうした知識の体系的統一以上の何ものかを（中略）
> 目的としてもつことのない認識の体系という学校概念にすぎない。しかし、
> さらに世界概念（conceptus cosmicus）というものがあるのであって、
> この世界概念は、哲学という名称の根底にいつでも置かれていたし、とり
> わけ、この概念がいわば人格化されて、哲学者という理想において一つの
> 原型として表象されたときには、そうである。[(2)]

　哲学の学説を知ることは、学校概念としての哲学にすぎないのです。
むしろ、哲学の知識が、世界（世間）の中で有効に使えるようになる必
要があるわけです。それを体現した人こそが、はじめて「哲学者」と呼
ばれるようになる、と述べています。

　ここでカントは、「世界概念」という言葉にわざわざラテン語を付加
して、「conceptus cosmicus」と表現しています。このcosmosが、世
界市民（コスモポリタン）につながることは、注目しておく必要があり
ます。これは、コスモス（cosmos）と市民（polites）から作られたもので
す。カントは、永遠平和論で、コスモポリタンの立場を強調していますが、
このためには、「世間知」や「世界概念としての哲学」が必要なのです。

　カントによれば、哲学の目標は、学校概念としての哲学、つまり哲学
説の物知りにあるのではありません。むしろ、世界市民になりえるよう
に、「哲学する」ことを身につけ、世界（世間）の中で活用できることが
大切なのです。これがカントの考える「哲学者」のイメージです。とす
れば、哲学者は哲学研究者とは区別されなくてはなりません。

　学校概念としての哲学…哲学説の体系的知識…哲学研究者（モデル）
　世界概念としての哲学…世間知としての哲学…哲学者（モデル）

だとすれば、職業的に哲学を研究するのでないかぎり、目指すべきは「世間知」としての哲学なのです。哲学を世界（世間）でどう活用できるか、これが哲学の試金石になりそうです。

> ルネ・デカルト：Basic 12 を参照
> イマヌエル・カント：Basic 1 を参照

意志と表象としての世界

　世界は人間にとってどんな意味をもつのか？──この問題を極限にまで突きつめたのが、ドイツの哲学者ショーペンハウアー*です。彼は『意志と表象としての世界』を1819年に出版しましたが、この本は生涯にわたって何度も検討されています。そのため、正編第2版と続編が1844年に刊行されました。ショーペンハウアーにとっては、『意志と表象としての世界』がすべてなのです。

　しかし、世界が「表象」や「意志」とされるのは、どうしてなのでしょうか。この二つは、カント*が「現象と物自体」を区別したことにもとづいています。カントは世界を考える時、「現象」と「物自体」に区分したのですが、それに対応するようにショーペンハウアーは「表象」と「意志」に分けたのです。すなわち、現象＝表象と物自体＝意志という対比です。

「表象としての世界」という考えは、人間の認識のあり方を見れば、無理なく理解できます。というのも、人間にとって現象している世界が、「表象」だからです。しかし、ショーペンハウアーには、さらに「意志としての世界」というアイデアもあります。

　そして、もっともショーペンハウアーらしいのは、こちらの思想です。なぜなら、「意志」は「物自体」とされているからです。しかし、そもそも「意志」として何が考えられているのでしょうか。

図21 カントとショーペンハウアーの考えた「世界」

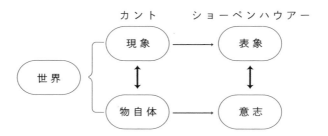

　ショーペンハウアーが「意志」を考える時、特徴的なのは人間の意志に限定しないことです。その他に、<u>動物の本能、植物の運動、無機的自然界のあらゆる力のうちで、盲目的に活動しているものが「意志」と呼ばれています</u>。盲目的で、衝動的な世界が、意志の世界なのです。

　しかも、もっとも重大なことは、ショーペンハウアーにとって、意志の世界が苦悩に他ならないことです。「苦悩は人生から生じるのであり、人生はまたこの意志の現象に他ならない」と言います。ショーペンハウアーによれば、意志の世界では、欲望に終わりがなく、退屈と苦悩に苛まれることになります。そのため、次のように発言されることになります。

　　われわれの生存の状態はきわめて悲惨であるから、こんな状態でいるくらいなら完全に存在しない方が断然望ましいであろう。[3]

　意志にかんするこうした考えは、「**厭世主義（ペシミズム*）**」と呼ばれますが、最近では「**反出生主義*（生まれてこない方がよかった）**」と言われることもあります。

　したがって、彼の最終的な方向は、「意志の否定」となるのですが、これは同時に「世界の超克」になります。しかし、問題なのは、これが

具体的に何を意図しているかです。単純に考えると、「自殺」が一番分かりやすいですが、ショーペンハウアーはこの方法を採用しません。むしろ、解脱や悟りといった境地ですが、正直なところ、必ずしも納得できる結論かどうかは分かりません。

> **アルトゥル・ショーペンハウアー**：18–19世紀のドイツの哲学者。1819年に発表された『意志と表象としての世界』において、人生を苦しみと見るペシミズムを唱え、多くの人に影響を与えた。
> **イマヌエル・カント**：Basic 1を参照
> **ペシミズム**：悲観主義、厭世主義とも訳される言葉で、オプティミズム（楽観主義、楽天主義）に対比される。近代においてこの考えを表明したのは、ショーペンハウアーである。
> **反出生主義**：最近は、デイヴィッド・ベネターが2006年に出版した『生まれてこないほうが良かった——存在してしまうことの害悪』が、反出生主義の本として話題になった。しかし、その考えはいろいろあり、また古くからこの考えは示されている。

人間は世界内存在である？

　20世紀において、「世界」という概念を印象的な形で哲学に導入したのは、ドイツの哲学者ハイデガー＊です。彼は、1927年に出版した『存在と時間』の中で、人間（「現存在」と呼ばれる）を「世界―内―存在」と規定し、従来の考えを厳しく批判したからです。

　しかし、「世界―内―存在」と言われても、常識的な意味で考えると、ほとんど無意味な規定のように見えます。「人間が世界のうちに存在しているのは当たり前ではないか！」というわけです。その規定で、ハイデガーは何を意図しているのでしょうか。

　対比的に想定されているのは、デカルト＊が「世界」と呼ぶ宇宙的な自然です。自然科学で取り扱うような宇宙が、デカルトの世界です。こうした自然科学的な世界に対して、ハイデガーはまったく違った「世界」を打ち出しています。

　ハイデガーが想定する「世界」は、人間が道具を使うという場面で説明されています。たとえば、ハンマーは、釘を打つというような用途（「〜のため」）のもとで、使用します。

　また、釘を打つのは、家を造るためです。こうして、それぞれ「〜のため」という指示連関の全体ができ上がるわけです。

　ハイデガーは、このような指示連関の全体性を「有意義性」と呼びますが、これが「世界」と呼ばれるわけです。

　ハイデガーはその状況を、独特の言葉づかいで、次のように表現しています。読み取りにくいですが、道具を使う場面を考えて読んでください。

　現存在が、おのれに指示するという様態においてそのうちでおのれを先行的に了解している場、これが、存在者を先行的に出会わせる基盤なのである。おのれに指示しつつ了解することがそのうちでおこなわれる場が、存在者を適所性という存在様式において出会わせる基盤なのだが、そうした場が世界という現象なのである。[4]

　ハイデガーは、デカルトのような自然科学的な世界（宇宙）の中での存在者のあり方を「事物存在（Vorhandensein、手前存在）」と呼び、道具的な有意義性のもとで理解されている存在者のあり方を「道具存在（Zuhandensein、手もと存在）」と呼んで区別しています。こうした道具的な存在者を有意義性のもとで了解しつつ使うのが人間であり、そのあり方を「世界─内─存在」と呼ぶのです。

　このあり方は、物理的な自然を事物として観察する態度ではなく、もっと親密な形で世界とかかわる交渉と見なされ、いわば理論以前的な実践的な態度だと考えられています。こういう実践の中で全体として了解されているのが、「世界」というわけです。

　ハイデガーの独特の言葉づかいのため、やや分かりにくいかもしれませんが、同じ「世界」といっても、事物性の総体と見るか、有意義性の連関と見るかによって、まったく違った様相を帯びてきます。ハイデガーは、道具性という使用にもとづいて、個々のものおよびその連関の全体を、「世界」と呼んだのです。

Column

引用文を見ていただくとすぐに分かりますが、ハイデガーの用語や文

体は哲学の中でもとても異様なものです。そのため、ハイデガーは若いころから優秀で、注目されていたにもかかわらず、なかなか一般的には理解されず、教授のポストを得る就職にも、ずいぶん苦労したようです。ところが、主著となる『存在と時間』を刊行すると、「電光石火のごとく」ベストセラーになった、と言われています。その後では、多くの人がハイデガーの文章をまねるようになり、ハイデガーのような異様な文体が哲学らしい文章だと思われるようになりました。しかし、あくまでも、ハイデガーのような文章は例外であることは、確認しておきたいものです。

> マルティン・ハイデガー：Basic10 を参照
> ルネ・デカルト：Basic 12 を参照

世界は成立していることがらの総体である

「世界」という概念を、きわめて短い表現で簡潔に示しているのが、オーストリア出身の哲学者ヴィトゲンシュタイン*です。彼が『論理哲学論考』の冒頭で「世界」について与えた規定は、「世界」という概念の意味を考える時、誰もがふまえるべき論点になっています。

『論理哲学論考』という本は、論理的な厳密性にもとづいて番号づけが行なわれていますが、その中でもっとも原理的な位置を占めるのが「世界」に関する規定です。次のように述べられています。

1.　世界は成立していることがらの総体である。

1.1　世界は事実の総体であり、ものの総体ではない。

　1.11　世界は諸事実によって、そしてそれが事実のすべてであることによって、規定されている。

　1.12　なぜなら、事実の総体は、何が成立しているのかを規定すると同時に、何が成立していないのかをも規定するからである。

　1.13　論理空間の中にある諸事実、それが世界である。

1.2　世界は諸事実へと分解される。[5]

この表現で、「世界」がどのようなものか、明確に示されていますが、あまりに簡潔なので、かえって分かりにくいかもしれません。たとえば、

「成立していることがら（was der Fall ist）」とか、「事実（Tatsache）」とか「もの（Dinge）」と言われても、奇妙な表現に感じるのではないでしょうか。いったい、何が言いたいのでしょうか。

　まず、「成立していることがら」というのは、現実において実際に成立していることを意味しています。たとえば、私には兄弟がいますが、他のこと（一人っ子であること）も可能だったでしょう。可能性としては、さまざまありますが、現実にはそのうちの一つが起こったわけです。こうして現実に成立していること、それをすべて集めたものが「世界」というわけです。

　つぎに、「事実」と「もの」が対比されています。「事実」というのは、「ものがかくかくである」ということを表わしています。「猫」とか「犬」などは、「もの」に当たりますが、「猫が木に登る」とか、「犬が吠える」というあり方は、事実になります。ヴィトゲンシュタインによると、ものの総体が世界ではなく、「ものがかくかくしかじかである」という事実の総体が、世界なのです。

　したがって、**世界は全体だとしても、「もの」をどんなに集めても世界にはならないのです**。ここで「事実」というのは、言語的に言えば、単語ではなく、文で表現されるものです。**文で表現される事実を要素として、世界は成り立っているのです**。

　ヴィトゲンシュタインが定義した「世界」は、一見したところ抽象的に感じますが、「世界」を考える時、もっとも包括的な規定といえます。

Column

　ヴィトゲンシュタインは、20世紀の哲学において、英語圏の分析哲学の創始者と見なされています。分析哲学は、一般には前期と後期に分けて理解されますが、ヴィトゲンシュタインはその両方にかかわっているのです。その点では、彼は分析哲学全体の歴史とも言えます。前期の分析哲学は「論理実証主義*」と呼ばれていますが、これに影響

を与えたのが『論理哲学論考』です。しかし、ヴィトゲンシュタイン自身はその後考えを変えて、後期思想を展開するようになります。この後期思想に影響を受けて、分析哲学では日常言語学派の潮流が湧き起こります。

> ルートヴィヒ・ヴィトゲンシュタイン：Basic 5 を参照
> **論理実証主義**：20世紀の前半に、ウィーンで始まった哲学者の集団（ウィーン学団）の思想。論理学や数学のような知識と、実証可能な科学だけが真の知識と見なすことができる、と考える。

世界は存在しない

　21世紀になって、「世界」という言葉にあらためて注意を呼び起こしたのが、ドイツの哲学者マルクス・ガブリエル*です。『なぜ世界は存在しないのか』が2013年に発表されると、哲学書としては異例のベストセラーになって、ガブリエルを一躍スター哲学者にしたのです。

　しかし、タイトルを見ただけでは、何が意図されているのか、想像できません。「なぜ世界が存在しない」と言えるのでしょうか。この時、「世界」は、いったいどう考えられているのでしょうか。

　まず、彼は、ヴィトゲンシュタインが示した「世界は事実の総体」という規定を踏襲します。ここから、世界がもっとも大きな領域であることが分かります。たとえば、「世界」と「宇宙」を比べてみると、常識的なイメージだと、「宇宙」の方が「世界」よりも広いように見えます（「宇宙のなかに世界がある」）。ところが、定義からすれば、「宇宙におけるすべての出来事」は、「事実の総体」の一部分であり、むしろ「世界のなかに宇宙はある」と言えます。

　この時、「存在する」かどうかを考えるさい、ガブリエルが「意味の場」という概念を導入するのに注意しましょう。形式的に表現すると、「AはXという意味の場において存在する」ということです。

　たとえば、ユニコーンは神話という意味の場において存在しますが、自然科学の意味の場においては存在しません。また、私が見た夢は、記

憶という意味の場においては存在しますが、現在の知覚という意味の場では存在しません。

　このように、どのようなものも無条件に存在するわけではなく、「Xという意味の場」において存在する、と考える必要があります。そこで、この形によって、世界が存在するかどうか、問い直すことにしましょう。つまり、「世界はXという意味の場において存在するか」と問い直すわけです。

　この場合には、Xは世界よりも大きいことになります。というのも、「Xという意味の場のなかに（in）世界が存在する」からです。

　ところが、「世界」の定義からして、これは不可能です。というのも、「世界」はもっとも大きな領域であり、それを包括するような「X」を想定できないからです。こうして、「世界」は存在しない、という結論が出てきます。

　お気づきになったかもしれませんが、この論証法は、神の定義から出発して、神の存在を導く「神の存在論的証明」に似ています。ガブリエルのものは、「世界」の定義から出発して、世界の非存在を導くのですが、やり方は共通しています。

　こうしたロジックによって、ガブリエルは何が主張したいのでしょうか。彼の基本にあるのは、現代の自然主義的傾向を批判することです。これは、「世界」よりも自然科学的「宇宙」が広大と考え、存在するものを物理的なものやその過程だけと見なし、それ以外は意味がなくなります。たとえば、心の働きも、結局は脳とその過程に還元され、脳を理解することで心も理解できる、とされるのです。

　しかし、こうした自然科学的宇宙だけでなく、心に固有のさまざまな事柄も存在する、とガブリエルは主張しています。そのために、次のような奇妙なことも言われるのですが、その意図は理解できるのではないでしょうか。

植物も、夢も、トイレの水を流した音も、ユニコーンも存在する。進化といった抽象概念も存在する。しかし、世界だけは存在しない。[6]（引用者訳）

> **マルクス・ガブリエル**：20-21世紀の存命するドイツの哲学者。現在活躍する若手の哲学者として、世界的に注目されている。2013年に出版した『なぜ世界は存在しないのか』は、哲学書としては異例のベストセラーになった。日本でも、メディアにしばしば登場し、「哲学界のロックスター」として注目されている。

生物にとっての世界はあるか?

　客観的に言えば、動物と人間は同じ「世界」で生存しています。とすると、動物と人間は同じ「世界」を〈生きている〉のでしょうか。つまり、同じような「世界」を見ているのでしょうか。

　20世紀はじめに、生物学者のヤーコプ・フォン・ユクスキュル＊は、「環世界 Umwelt（周りの世界）」という概念を提示して、生物と人間では、見ている世界も生きている世界も異なることを、明らかにしました。この考えは哲学にも大きな影響を与え、現代では基本認識となっています。

　もっとも、生物といっても、種によって異なっていますから、一括りにすることができません。むしろ、それぞれの種に応じて、生物は異なった特有の世界をもつ、といった方がいいでしょう。たとえば、ユクスキュルは、「海棲動物」について次のように述べています。

　すべての海棲動物が、彼等すべてに共通の均一な世界に生きているかのように見えるとすれば、それはただ、その観察者の視線が表層のみをなぞっているからにすぎない。より詳細な研究が教えてくれることは、これら膨大な差異性を示す生命の形態が、その生命固有の「環境（環世界）」をもち、この「環境（環世界）」はその動物の体制と相互規定の関係にある、という基本的な事実なのである。(7)

ここで分かるのは、それぞれの動物は、その種に応じて、異なった「世界」をもっていることです。それを示すために、「マダニ」というダニの一種の例がしばしば使われています。

　ユクスキュルによれば、マダニには視覚・聴覚はありませんが、嗅覚・触覚・温度感覚が優れています。そのため、マダニは木の上で獲物の接近を待ち、温血動物の哺乳類が下を通る時に、落ちてきて酪酸の匂いのする相手の体表に取りつくのです。そこから、手探りで毛の少ない皮膚を探り当てて、生き血を吸うわけです。

　このマダニにとって、世界は見えるものでも、聞こえるものでもなく、温度と匂いと触感によってできているのです。つまり、マダニには、マダニの世界があり、他の動物の世界とは違っています。

　この観点を一般化し、人間にも拡張させて考えると、**すべての生物に共通の世界があるのではなく、「世界」はそれぞれの生物種によって、切り分けられている**、ということができます。これは、たとえば人間とペットとして飼っている犬の場合も同じように考えることができます。人間と犬はまったく異なる「世界」で生きているのです。

　しかし問題となるのは、人間の「世界」は、こうした他の動物の「世界」と並ぶ、もう一つ別の「世界」なのでしょうか。また、人間が、他の動物のさまざまな「世界」を想定できるのは、どうしてでしょうか。人間の世界は他の生物とは違った特有の世界ですが、同時に他の生物の世界をも想定できます。ここに、大きな問題が控えています。

Column

ユクスキュルは生物学者ですが、20世紀の哲学に大きな影響を与えています。たとえば、ハイデガーは『存在と時間』の中で「世界」論を展開する時、ユクスキュルの「環世界（Umwelt）」概念を使いました。ただし、ハイデガーの場合には、生物固有の世界という意味では

なく、人間にとって事物よりも密接にかかわる道具的な存在者にかかわる世界として、示しています。動物が自分の「環世界」に棲息するように、人間は道具的な環世界に慣れ親しんでいるのです。

> ヤーコプ・フォン・ユクスキュル：19-20世紀のドイツの生物学者。それぞれの動物には、種に応じた環境世界があると見なし、「環世界Umwelt」と呼んだ。ハイデガーの『存在と時間』にも影響を与えている。

言語や文化が違えば世界は違うか？

　人間と動物が、それぞれ異なる世界に生きているとすれば、人間ならば、みな同じ「世界」に生きていると言えるのでしょうか。というのも、人間といえども、それぞれ生活する地域や社会が違っていて、そこで使う言葉や文化が大きく異なるからです。

　動物が種に応じて異なる「環世界」を形成するとすれば、人間は言語や文化によって違った「世界」を形成するのではないでしょうか。

　人間にとって言語や文化の意味を考える時、かつては進化論的な理解が支配的でした。アフリカやアジアといった地域の文化は、西洋文化に比べ低く見られ、累進的に発展する段階の一つとしてそれぞれ位置づけられていました。

　しかし、こうした段階的な進化といった考えは、植民地主義の名残であり、現在では採用されていません。それに代わって登場したのが文化相対主義という考えです。これは20世紀の後半にもっとも流行したのですが、いまでもその影響は続いています。

　文化が違えば、それぞれ言語や考えも異なっており、まったく違った世界に住んでいる、と言われた時、同意する人が多いのではないでしょうか。

　この考えを補強するものとして、サピア＝ウォーフの仮説というものがあります。これは、人類学者で文化相対主義を提唱したフランツ・ボ

アズの弟子、エドワード・サピア*によって基本的な骨格が提示され、その弟子であるベンジャミン・ウォーフ*が明確化したものです。一般に、言語相対主義*とも呼ばれています。

> 言語は「社会的現実」に対する指針である。（中略）「現実の世界」というものは、多くの程度にまで、その言語集団の習慣の上に無意識的に形づくられているのである。2つの言語が同一の社会的現実を表わすと考えてよい位似ているということはありえない。住みついている社会集団が違えば世界も異なった世界となるものであり、単に同じ世界に違った標識がつけられたものというのではないのである。[8]

　文化にしろ、言語にしろ、それが人間の認識や理解に影響を与えることはたしかです。しかし、実際に、言語や文化が違った時、はたしてどれほどの差異が生まれるのか、またそのメカニズムはどんなものか、については必ずしも明らかになっていません。そのため、サピア＝ウォーフの仮説は、いまでもまだ「仮説」にとどまっていて、確証されたわけではありません。
　こうした相対主義的な「世界」理解は、いくつかの実例で示されることはありますが、住む「世界」が違うというほどの差異なのか、あらためて問題になります。

> エドワード・サピア：19-20世紀のアメリカの人類学者、言語学者。人類学者のフランツ・ボアズに師事し、教え子のベンジャミン・ウォーフとともに、「サピア＝ウォーフの仮説」を提唱した。
> ベンジャミン・ウォーフ：19-20世紀のアメリカの言語学者。サピアの下で言語学を学び、「サピア＝ウォーフの仮説」と呼ばれる理論を共同で形成した。
> 言語相対主義：言語の違いによって、人間の認識が変わるという考え。とくに、「サピア＝ウォーフの仮説」にもとづいて、主張される。

複数の可能的な世界

「世界」といった場合、必ずしも現実に存在している世界だけを考える必要はないかもしれません。歴史では「たら、れば」は禁句になっていますが、それでも「第二次世界大戦でナチス・ドイツが戦争に勝利していたら、世界はどうなっているだろうか？」と問うことは可能でしょう。おそらく、現在の世界とは違った世界になっていたと、想像できます。

　こう想定するのは、「可能世界論」と呼ばれていますが、古くは18世紀にライプニッツ*が提示した理論として、知られています。ライプニッツは、『弁神論』という著作で論じているのですが、タイトルから見ても、神が想定されています。神にとっては、現実の世界とは異なる他の世界も可能だったのですが、その中で最善のものとして現実世界を創造した、というのです。たとえば、創造された現実の世界について、彼は次のように述べています。

　　私が世界と呼んでいるものは、現実存在する事物の全体的継起、全体的集まりのことであるが、これは、いくつかの世界がさまざまな異なった時間や異なった場所に現実存在しうるなどとは主張しないようにするためである。というのも、もしそのようなことになれば、複数の世界のすべてを一緒にして一つの世界として、あるいはお望みなら一つの宇宙と見なさなければならなくなるからである。たとえすべての時間と場所が充足されて

いるとしても、それは無数の仕方で充足させることができたはずだし、現に無数の可能世界があるということは依然として常に真である。[9]（引用者訳）

　ライプニッツによれば、**可能世界というのは、その世界で成立していることがら同士が、矛盾しない世界です**。こうした世界を、私たちは無数に考えることができます。こうした無数に考えられる可能世界の中から、神は最善のものとして現実の世界を選んだわけです。したがって、現実の世界は最善の世界ということになります。

　こうした可能世界論は、「可能性」・「偶然性」・「必然性」のような様相概念＊と関係しています。ところが、様相概念を使って、命題の真偽を考えると、さまざまな問題が起こってくるのです。

　たとえば、「ナチス・ドイツは第二次世界大戦で敗北した」という命題は、現実世界では真になりますが、ナチス・ドイツが勝利する可能世界も想定できます。とすれば、この命題が真であるのは、偶然的なものであり、どの可能世界でも成り立つような必然性をもたない、と考えなくてはなりません。とすれば、現実世界を創造した神は、偶然的真理を生み出したことになるのでしょうか。

　可能世界と現実世界との関係をどう位置づけるかについては、20世紀後半になって、哲学者たちのホットな話題になっています。18世紀はじめのライプニッツの議論が、新たな形で論争を巻き起こしています。

Column

　様相概念は、物事が生起する仕方を表わす概念で、アリストテレスの論理学以来、問題にされてきました。たとえば、時間様相としては過去・現在・未来があり、存在様相としては全称（すべて）・特称（ある）などがあります。その他、規範様相や認識様相などもありますが、とくに重要なものとして真理様相（必然的・可能的）が伝統的に解明され

てきました。この真理様相と組み合わせて、可能世界論が問題になっています。たとえば、「ナチス・ドイツが敗北したのは必然的である」と言えば、どの可能世界でも真であることを意味します。それに対して、「○○は可能である」と言えば、そうした可能世界を想定することも、想定しないこともできる、したがって偶然的である、という意味をもつのです。

> **ゴットフリート・ライプニッツ**：Basic 7 を参照
> **様相概念**：物事が存在したり生起したりする仕方を「様相」と呼び、それを表現するのが様相概念である。たとえば、「～は必然的」とか「～は可能的」という表現は、一般に様相概念と呼ばれる。古くから様相概念とされるものとして、存在様相（全称「すべて～」・特称「ある～」）や、時間様相（過去、現在、未来）などがある。

Part2 真理を探索する

世界をどう制作するか？

　世界と言えば、すべての人に共通のものとして、客観的にただ一つ存在すると見なされるかもしれません。

　ところが、アメリカの哲学者、ネルソン・グッドマン*によれば、人間は「ヴァージョン」を制作することによって「世界を制作する」とされます。ここでヴァージョンというのは、記号システムのことですから、世界は記号システムによって制作されたものである、ということもできます。

　この考えから帰結するのは、世界の複数性です。というのも、記号システムには多種多様なものがあるからです。

　たとえば、物理学的な記号システムで描かれた世界と、夏目漱石の『こころ』で描かれた世界は、まったく違っています。あるいは、アマゾンの先住民の人々の「世界」と、イヌイットの人々の「世界」では、使われる言語の違いによって、まったく違った世界が制作されています。

> 　数多くの異なった世界＝ヴァージョンがあるという事実にはほとんど議論の余地はない。（中略）数多くの異なった世界＝ヴァージョンは、唯一の基盤へ還元できるという可能性を要求ないし前提することなく、独立の意義と重要性とをもつ。(10)

ここで拒否されているのは、「物理学こそ卓越した、すべてを包括するシステム」だとする物理主義です。それぞれ異なるヴァージョンは、それぞれ正しく、すべてが唯一のものへ還元されるわけではない、とされます。

　たしかに、漱石の世界と物理学の世界はそれぞれ独立していて、どちらかに還元したり、吸収したりできるわけではないからです。

　このような意味で、複数の世界があるのですが、これは「可能世界の複数性」ではありません。現実世界の複数の描き方があるのです。

　こうした考えは、一般には「構築主義」と表現されることもあります。**世界は存在するのではなく、構築されたものである。**

　では、世界が複数制作されるとすれば、いずれが正しいのかを決定できるのでしょうか。確認しておくべきは、記号システムとは別に、「世界」そのものを想定しているわけではないので、異なるヴァージョンを「世界」と対応させることができないことです。

　こうして、グッドマンの構築主義は、「根源的な相対主義」へと導かれる、と考えられています。多様な世界についてのヴァージョンがあり、しかもそのいずれも優劣をつけることができないわけです。

　20世紀の後半は、文化相対主義が世界的な流行になりました。それを哲学的に正当化したのが、グッドマンのこの世界制作論とも言えます。

Column

グッドマンの世界制作論は、21世紀になって「実在論」が復活するようになって、**マルクス・ガブリエル**＊や**ポール・ボゴシアン**＊といった若手の哲学者たちによって、批判されています。ボゴシアンは、現代の構築主義の源流としてグッドマンを挙げています。

> ネルソン・グッドマン：20 世紀のアメリカの哲学者。論理学や美学などに、さまざまな影響を与えている。また、1975 年の『世界制作の方法』では、ある種の構築主義を提唱し、論争を巻き起こしている。
> マルクス・ガブリエル：Basic 60 を参照
> ポール・ボゴシアン：20–21 世紀の存命するアメリカの哲学者。2006 年に発表した『知への恐れ』において構築主義を批判し、客観的真理を擁護した。

自
然

Nature

自然をどう理解するか

「自然」と言えば、「自然科学」という言葉が示すように、もっぱら科学の対象と見なされるかもしれません。自然を学問として取り扱うのは科学であり、科学が解明するのは自然である、と考えられてきました。

しかし、**自然はもともと科学の対象というより、むしろ人間が生活する基盤そのもの**と言えます。魚が水の中で生きていくように、人間もまた自然の中で活動することができます。

とすれば、そもそも「自然」とは、人間にとってどんな意味があるのでしょうか。このパートでは、「自然」が哲学でどう理解されてきたのか、確認することにします。

まず、「自然」と訳される言葉の起源を見ると、ギリシア語の「ピュ

シス（physis）」に行きつきます。この語は「ピュエイン（phyein）」という動詞に由来するのですが、これは能動形では「生む」とか「生やす」を意味し、受動形では「生まれる」「生える」「なる」などを意味します。

そのため、名詞形である「ピュシス」は、「誕生」「生長」であり、さらには「生まれつきの性質」とか「生まれたままの本性」を意味します。つなげて、「自然本性」ということもあります。

この時ポイントになるのは、自然が人為や作為に対立することです。たとえば、プラトンの対話篇『クラテュロス』では、言葉は「ピュシス（自然本性的なもの）かノモス（人為的なもの）か」という問いが立てられ、議論が進んでいきます。

自然と人為という対立は、「無為自然」という中国の思想や、仏教の伝統とも重なっています。

しかし、キリスト教では、自然は神によって創造されたものであり、「被造物（creatura）」と表現され、中世ではnaturaという語はほとんど「本性」の意味で使われていたようです。

近代になると、「自然」の意味は大きく変わってしまいます。中世までは、自然を理解する時、生物をモデルにして理解していましたが、近代では自然は機械論的に見られるようになり、生命とのアナロジーは排除されました。

これにともなって、「自然」はまったく物質的なものとされ、数学によって解明される対象となったのです。

現代では、テクノロジーの発達によって、ギリシア時代から区別されてきた「自然（ピュシス）」と「人為（ノモス）」の対立が、消滅する可能性が出てきました。

自然哲学と
自然科学は
どう違うか？

　現代では、自然と言えば科学が解明するものだと思われています。実際、自然科学の発展は著しく、哲学の入り込む余地はなさそうに見えます。いつから、こうした自然科学がはじまったのでしょうか。

　ガリレオやニュートンなどの研究は、近代の科学革命と呼ばれていますので、一般には16世紀の半ばあたりから、自然科学がはじまったと思われるかもしれません。そうした通念だと、ニュートン*（1642〜1727）の主著が『自然哲学の数学的原理』であることに驚くのではないでしょうか。

　この本の出版が1687年ですから、自然科学という言葉の使い方には、注意が必要です。ニュートンは、自分の研究を「自然哲学」と考えているからです。

　今日、科学と呼ばれているのは、science（英）やWissenschaft（独）の翻訳ですが、これらは元をたどれば、ラテン語のscientiaに行きつきます。この言葉は、動詞のscio（知る）からできたもので、知識や理論、学問を意味しています。

　したがって、英語の「science」にしても、ドイツ語の「Wissenschaft」にしても、近代の当初は「知識」や「学問」の意味で使われていたのです。

　英語の「サイエンス（science）」が、現代のような「科学」という意味で浸透するのは、諸学問が分化独立していく19世紀の中ごろになっ

てからです。

　ドイツ語の「Wissenschaft」はもっと後になります。現代でさえも、ドイツ語で「科学」という意味で使う時は、英語の「science」を使う人もいるほどです。

　日本語の「科学」は、語感的には英語の「サイエンス」を踏襲しています。

　したがって、「自然科学」という言葉を使うのは、それほど昔からではなく、まだ200年もたっていません。現在では、自然科学と見なされているものでも、それまではれっきとした哲学研究だったわけです。

　こうした事情を考えると、「博士」という言葉が、どうして「Ph.D.」と表記されるのかも理解できます。これは、英語ではDoctor of Philosophy（ラテン語では Philosophiae Doctor）の短縮形です。

　そのまま訳すと、「哲学博士」になりますが、言うまでもなく、今日の「哲学」に限定されるわけではなく、さまざまな分野の学位として与えられます。たとえば、「工学博士」でも、Ph.D. in Engineeringと表記され、「（工学分野での）哲学博士」です。

　こう考えた時、「自然哲学」か「自然科学」かという問題は、「自然」や「科学」という言葉が歴史的にどう変化してきたか、という問題と切り離すことができません。

　したがって、「ニュートンの自然科学は自然哲学とどう違うのか」という問いは、この問い自体に問題が潜んでいる、と考えなくてはなりません。

　16世紀以来「自然哲学」という名のもとで探究されてきたものが、19世紀になってあらためて「自然科学」として捉え直されたわけです。この歴史的な変遷を、しっかり確認する必要があります。

Column

　かつて「自然哲学」とされたものが後に「自然科学」として捉え直さ

れたと言っても、「自然哲学」がすべて自然科学になったわけではありません。今日、「自然哲学」とされているものは、「自然とはそもそも何なのか」とか「自然は人間にとってどんな意味をもっているか」とか、「自然に対していかなる態度をとるか」というような問題を論じます。自然はもちろん、科学的に探究されるだけではありません。自然の科学的探究は、あくまでも探究の一つの方法にすぎません。

> **アイザック・ニュートン**：17-18 世紀のイギリスの物理学者、数学者。万有引力の法則を発見し、近代科学の基礎を築く。1687 年に出版された『プリンキピア』の原題は、『自然哲学の数学的原理』となっていて、自然哲学の書とされていた。

自然は隠れる
ことを好む

「自然」という言葉は、現代ではnatureの訳として使われ、これはラテン語のnaturaに由来します。それをさらに、ギリシア語までさかのぼると、「ピュシス（physis）」となります。ギリシア語のピュシスの意味について、ハイデガーは次のように説明しています。

> それは、おのずから発現するもの（たとえばバラの開花）、自己を開示しつつ展開すること、このように展開することにおいて現象へと踏み入ること、そしてこの現象の中で自己をひき止めて、そこで永くとどまること、簡単に言えば発現し―滞在する支配を言う。(1)

このように、ピュシスは「自ずから発現するもの」なのですが、ギリシア時代の自然哲学者であるヘラクレイトス*は、「自然は隠れることを好む」とも述べています。しかし、ピュシスは現われ出るものであるにもかかわらず、どうして隠れることを好むのでしょうか。

ヘラクレイトスによれば、現われ出たものは、まったく対立した相の下で現象するのです。たとえば、「生と死、目覚めと眠り、若さと老いも実は同じ」とか、「海はもっとも清らかで、またもっとも汚い水」というように言われます。しかし、こうした対立の中で、それらを支配している「一」を理解することが必要なのです。これをヘラクレイトスは、

「隠れることを好む」と表現したのです。

　こうしたピュシスの隠れた秩序が、「ロゴス」と呼ばれます。ロゴスには二義性があって、一方では比率や割合、秩序や法則という意味をもっています。他方では、「言葉」という意味も、ロゴスにはあります。そこで、ピュシスのロゴスと人間のロゴスという言い方が可能になります。その二つを、引用しておきましょう。

> ① **ピュシスのロゴス**…ロゴスは、人間たちがそれを理解するにいたらないのはいつもながらのこと。それを聞く以前にも、いったん耳にしたのちにも、事実、万物はこのロゴスに従って生じてくるのに、人間たちはそれに出会っていないもののようだ。
> ② **人間のロゴス**…魂の果てはどんなに進んでいっても見つからない。どんな道をとっていても。それほどに深いロゴスを魂はもっている。[2]（引用者訳）

　このように見ると、ピュシスとロゴスの関係が理解できるのではないでしょうか。ピュシスは「自ずから現われ出る」ものですが、その現象では対立したり矛盾したりしています。そうした対立相の中で隠れた秩序（ロゴス）を捉える必要があるのです。もちろん、ロゴスが簡単に見つかるわけではなく、つねに隠れているのですが、それを探究する道に進むのが哲学というわけです。

Column

　ヘラクレイトスは、ソクラテス以前の哲学者の中で、今日でも人気のある哲学者です。残されている断片は少なく、しかもどれも短いものですから、謎のような文章が多く残されています。その中で、「万物は流転する（パンタ・レイ）」という言葉は、しばしば慣用句のように使われています。ただ、彼の文章が「たいへん難解である」というの

は、アリストテレスの時代から有名です。謎を解くように、文章を読まざるを得ないと言われています。しかし、この難解さがむしろ、人気を呼ぶ理由かもしれません。一度読んで分かるようだと、誰もくりかえし読もうとはしませんから。

> ▶ヘラクレイトス：紀元前6-前5世紀の古代ギリシアの哲学者。万物の根源（アルケー）を「永遠に生きる火」とみなし、すべては生成消滅する（「万物流転」）と考えた。

自然に従って生きる

　ストア派をはじめたゼノン*は、人間の生き方を「自然に従って生きよ！」と表現しました。ストア派は、ギリシア時代からローマ時代まで長く活動してきましたが、その教義の中心には、開祖であるゼノンのこの教えがあります。そのため、この教えはストア派の教義として、もっとも有名なものです。

　彼は98歳になるまで病気にかかることもなく健康を保っていたのですが、ある日、つまずいて倒れ、足の指を折ったそうです。その時彼は、大地を拳で叩いて、「いま行くところだ」と言って、「自分の息の根を止めて死んだ」と言われています。このエピソードについて、次のような報告が残されています。

　　このゆえに、ゼノンが最初に、『人間の自然本性について』のなかで、（人生の）目的は「自然と一致和合して（ホモログーメノース）生きること」であると言ったのであるが、そのことは「徳に従って生きること」に他ならなかったのである。なぜなら、自然はわれわれを導いて徳へ向かわせるからである。(3)

　ストア派では、哲学は**自然学・論理学・倫理学**の3つに分類され、一つにまとめられます。**自然における理性的な秩序と論理学におけるロゴ**

ス（論理）は、人間の生活における徳と一致するのです。こうした態度を示すのが、「自然に従って生きる」ということだったのです。

この時、注意すべきは、ストア派の「自然に従って生きる」というのが「理性（ロゴス）」に従うことです。自然に対して情感的にかかわるのではありません。むしろ、あらゆる情念を排除して、禁欲的に生きることだとされます。この態度を表現したのが、「アパテイア」というストア派の理想ですが、これは「情念（パトス）」を排除した（「アー」）態度です。

だとすれば、ゼノンのエピソードからも、「自然に従って生きる」というのは、「自然に癒やされる」といったイメージからはほど遠いことが分かります。自分の情念を取り去って、宇宙のロゴスに従うことが求められるとても厳しい生き方と言えるでしょう。「ストイック」というのは、ストア派から来た態度だということから考えても、「自然に従って生きる」というストア派の生き方が、「気ままに生きる」ことでも、「自然に癒やされる」ことでもないことは明らかでしょう。

Column

ストア派と同じころ、ライバルと目されていたのがエピクロス派です。その開祖はエピクロス（B.C.341 ～ B.C.270）です。エピクロス派のモットーは、「アタラクシア」と呼ばれるもので、しばしばストア派の「アパテイア」と混同されます。エピクロス派「アタラクシア」は、心の激しい動揺から自由になり、平静な状態を意味しています。ただ、「アパテイア」にしても「アタラクシア」にしても、激しい情熱から解放され心の平静さを理想とする点で、対立するわけではなく、当時でさえ同じように理解されることもありました。

＞ゼノン：紀元前 4-前 3 世紀の古代ギリシアの哲学者。ストア派の始祖であり、道徳を唯一の善と見なし、自然に従って生きることを理想とした。

自然という書物は数学の言葉で書かれている

　近代になると、自然は数学によって理解されるようになりますが、その有名な表現をガリレオが語っています。「ガリレオは、こう書いていた。『自然という書物は、数学の言語で書かれている。数学の助けがなければ、自然という本の一語なりとも理解できないのだ。』」(4) ただ、ガリレオ自身はここでは、「自然」ではなく「宇宙」と語っているのですが。

「自然」と「数学」との組み合わせは、ガリレオだけではありません。たとえば、デカルト＊も次のように述べています。

> 　私は自然学における原理として、幾何学や抽象数学における原理以外のものを認めないし、要求もしない。なぜならこうしてこそ、あらゆる自然現象が説明されるのであり、自然現象の確実な論証も与えられうるからである。(5)

　こうした数学によって自然を理解することを、ハイデガーは「自然の数学的企投」と呼んでいます。いまでは不思議なことではありませんが、自然を数学によって理解することは、それ以前の自然理解からすると画期的なことでした。「自然を数学的に理解する」という根本的な決定が、近代科学ではあらかじめ行なわれているのです。逆に言えば、数学的に

理解できないものは、自然として興味がもたれないのです。

　このような自然観は、一般に機械論的自然観と呼ばれています。中世までの自然観は、自然をいわば一種の生物のように見立て、目的論的自然観が支配していました。それに対して、近代の自然観では、すべての物質がいわば機械の部品のように見なされ、それらがあたかも機械仕掛けのように運動する、と考えられています。

　この態度は、生物を見る時も、同じように考えることになります。たとえば、デカルトは、人間の身体を、こうした機械の典型的な例として挙げています。「もし私が人間の身体を、（中略）ある種の機械として見るならば、（略）」というようにです。人間には、精神と身体があり、さらにその身体をデカルトは機械論的に理解したわけです。

　近代からはじまった、外的な自然および人間の身体を数学の観点から理解すること、これは現代にまで続いています。これは、自然科学として豊かな研究を生み出しましたが、他方では自然そのものを破壊することも可能にしてきました。今後、科学や哲学がどこへ向かうかを考える時、近代の自然理解をあらためて考え直す必要がありそうです。

図22　デカルトの人間理解

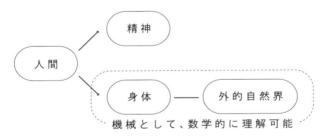

Column

　いままで、自然と言えば、人間から独立し、人間の生活を支える基盤のように見なされてきました。ところが、最近では、環境問題が深刻

になって、自然のあり方が根本的に見直されるようになりました。こうして最近提唱されるようになったのが、「人新世（アントロポセン）」という概念です。これは「完新世」に代わる地質学の概念として打ち出されたのですが、人間が自然に対して決定的な影響をおよぼし、自然を破壊することさえあると警告しています。ノーベル賞を受賞したパウル・クルッツェンが強く主張しています。ただ、この概念は科学的な概念として打ち出されているのですが、いまのところこの概念がどこまで妥当かについては、議論が分かれています。

＞ルネ・デカルト：Basic 12 を参照

Part2 真理を探索する

神を自然として理解する

Basic69

デカルトより少し後に活動した**スピノザ*** (1632–1677)は、デカルト哲学の概念を受け継ぎながら、作り替え、まったく違ったものに変えてしまいました。自然にかんする考えも、その一つです。

デカルトは「実体」という伝統的な概念を、無限な実体と有限な実体に分けます。「実体」の意味は、その存在のために他のものを必要としないもの（独立自存するもの）ですが、これに最適なのは無限実体である「神」です。しかし、デカルトは、神によって創造された精神と物体も、有限ではありますが「実体」とされます。デカルトの機械論的自然は、物体から構成されたものです。

では、スピノザは精神や物体をどう位置づけるのでしょうか。彼によると、その二つは唯一の無限実体である神の属性と考えられます。精神や物体は、それぞれ独立して存在する実体ではなく、神の属性となるのです。

こうした変更は、単なる名称の違いのように感じるかもしれませんが、むしろまったく異なる自然観が出てくるのです。

というのも、神と精神と物体をそれぞれ独立する「実体」と規定するデカルトのように、神と自然、精神と物体とが乖離するものとして捉えることがなくなるからです。神は、精神でありかつ物体でもあるのです。それを表現する言葉が、「神即自然 (Deus sive Natura)」です。

このように、スピノザは自然を神と同一視するのですが、その時彼は「自然」を表現するため、二つの自然概念を提示します。「能産的自然」と「所産的自然」です。どう違うのでしょうか。

> 産出する（能産的）自然と、産出される（所産的）自然とがどのように理解されねばならないかをここで説明したい。（中略）われわれは能産的自然を、それ自身において存在しそれ自身によって考えられるもの、あるいは永遠・無限の本質を表現する実体の諸属性、つまり自由原因と考えられるかぎりの神と理解しなければならない。
>
> これに反して所産的自然とは、神の本性の必然性から（中略）生ずるすべてのもの、いいかえれば、神のうちに存在し、神が存在しなければ存在することも考えられることもできないと見なされるかぎりの、神の諸属性のすべての様態のことである。(6)

簡単に言えば、**能産的自然＝神、所産的自然＝自然（被造物）**となります。ここでスピノザは、「自然」という語の多義性を使って、生み出す神と生み出された自然を、ただ一つのものとして主張するのです。

スピノザのように、神と自然を同一視すると、自然はデカルトのような機械論的なものではなくなり、裏をかえせば、それ自身のうちに力をもつような精神的なものと見なされることにもなります。こうした見方を、後にロマン主義の哲学が引きつぎ、シェリングは自然を精神的なものとして見なすようになります。

Column

スピノザの主著は『エチカ』ですが、タイトルの「倫理学」にはふさわしくない外観をもっています。幾何学の本のように、公理や定理が述べられ、数学的な論証であるかのように議論が進められています。スピノザにとっては、こうした形式こそが厳密な学問の方法と見なさ

れたのですが、初心者にはむしろ敬遠されてしまいます。しかし、論述の仕方を度外視すれば、興味深い内容が展開されています。一つだけ例を挙げると、**スピノザは「善（よい）」と「悪（わるい）」を、自分の力を増大させるか減少させるかで説明しています**。つまり、私にとって「よい」ものは、私の力を増大させるものであり、「わるい」ものは減少させるものです。これは現代でも立派に通用する考えです。

＞バールーフ・デ・スピノザ：17世紀のオランダの哲学者。ユダヤ人であるが、ユダヤ教団から破門され、追放された。デカルトの影響を受けたが、神を唯一の実体と考え、一元論を唱えた。

「自然」という フィクション

「自然」という概念は、近代の社会契約思想において、重要な役割を演じています。最初に「自然状態」が想定され、次に「自然法」や「自然権」が語られます。そこから、社会契約によって国家を形成するのです。

社会契約思想というのは、イギリスのホッブズやロック、フランスのルソーなどによって展開された思想です。その内容は厳密に見ると、主張者によってそれぞれ違っていますが、「自然状態」から社会契約によって政治社会を組織する、という点では変わりません。

この時注目したいのは、「自然状態」が、フィクションとして仮定されたものであることです。

たとえば、ルソー*は次のように書いています。

> 各個人が自然状態にとどまろうとして用いる力よりも、それに逆らって自然状態のなかでの人間の自己保存を妨げる障害のほうが優勢となる時点まで、人間が到達した、と想定してみよう。そのとき、この原始状態はもはや存続しえなくなる。だから、もし生存様式を変えないなら、人類は滅びるだろう。[7]

こうして呼び出されたのが、「社会契約」という思想です。ルソーは、それをこう表現しています。「各構成員の身体と財産とを、共同の力の

すべてを挙げて防衛し保護する結社形態を発見すること。そしてこの結社形態は、それを通して各人がすべての人と結びつきながら、しかも自分自身にしか服従せず、以前と同じように自由なままでいられる状態であること」

　ルソーの場合、社会契約によって作り出される結社形態は、「一般意志」によって指揮される、とされます。自分の特殊意志を放棄し、一般意志に従うことで、自由が得られる、と言われます。

　しかし、一般意志がどうして個々人の自由を可能にするのかは、必ずしも明らかになっていません。

　ともすると、一般意志は特殊意志を放棄した個々人に対して抑圧するように働き、独裁的に見える、と批判されてきました。社会契約は、個人の自由を確保するために行なうのですが、結果としてその逆に導くように見えるのです。

　その根本的な原因は、「自然状態」という出発点にあるのかもしれません。イギリスの哲学者ヒューム＊によれば、社会契約論が想定するような「自然状態」は、歴史をどこまでさかのぼっても、存在しない虚構にすぎません。つまり、**社会契約論が想定するような最初の「自然状態」はフィクションなのです。**このフィクションにもとづいて、はたして現実的な政治社会の成立を論じることができるのでしょうか。あらためて考え直す必要があります。

> ジャン゠ジャック・ルソー：18世紀のフランスの哲学者。1762年の『社会契約論』によって、社会契約思想の代表者と見なされている。教育論や学問芸術論もあり、また小説も書いている。多才であるとともに、多様な側面をもち、思想を統一的に理解するのは難しい。
> デイヴィッド・ヒューム：18世紀のイギリスの哲学者。ロック、バークリーとつづくイギリス経験論を代表する哲学者で、カントの「独断のまどろみ」を破った哲学者として有名。因果関係の客観性を批判し、懐疑主義を取った。

人間の環境を自然ではなく、風土として考える

　人間にとって、環境のおよぼす影響を考える時、自然現象として理解してよいのでしょうか。この時には、物理的な自然が想定され、人間は生物学的・生理学的なものと見なされます。しかし、人間にとって環境が日常的に問題となるのは、もっと直接的な形です。客観的な「自然」というより、身近な「風土」として感じられているのではないでしょうか。

　こうした視点から、日本の哲学者**和辻哲郎**＊は『風土』を書き、日本文化に特有の風土を描き出しました。和辻が「風土」と呼ぶのは、「ある土地の気候、気象、地質、地味、地形、景観などの総称」とされます。それぞれの文化特有の、風土の感じ方があり、これは自然現象とは区別されるのです。

　和辻がこうした「風土」論を構想するのは、**居住する地域や文化が違えば、環境が人間におよぼす影響も異なり、物事の感じ方や考え方、行動様式に決定的な差異を生み出す**からです。和辻は、ヨーロッパに留学後に、日本と西洋の違いを大きく自覚したようです。その経験を基礎にして、独自の風土論を提唱しました。では具体的に、どのような風土が区別されるのでしょうか。

　和辻は、三つの類型を提示しています。それは、①モンスーン型、②砂漠型、③牧場型の三つです。これを見れば、和辻がアジア圏とイスラ

ム圏と西洋圏の三つに応じた、風土的な違いを取り出そうとしているのが分かります。しかも、その中でもとくに、モンスーン型に属する日本の風土的特性が主要な関心であることが分かります。日本人の特性は、どのような風土的な性格にもとづくのでしょうか。

> 人間の存在は歴史的・風土的なる特殊構造を持っている。この特殊性は風土の有限性による風土的類型によって顕著に示される。（中略）自分はモンスーン地域における人間の存在の仕方を「モンスーン的」と名づけた。我々の国民もその特殊な存在の仕方においてはまさにモンスーン的である。すなわち受容的・忍従的である。(8)

日本は、この受容的・忍従的な仕方に、「台風的性格」が加わり、季節的・突発的という特殊な性格を示すと言われます。たしかに、日本人は忍従的に見えて、時々は突発的に爆発することもあり、単なるモンスーン型では片づけられません。

こうして見ると、和辻の「風土」論は、日本文化論ないし日本人論の原型のように感じられます。和辻の日本風土論がどこまで適切かは別にして、風土論を構想したことは独創性があるとともに、重要な着眼点を示しているのではないでしょうか。

Column

和辻哲郎の風土論は、ドイツの哲学者ハイデガーに対する対抗として構想されています。彼ら二人は、同じ年（1889年）の生まれであり、和辻はドイツに留学した時ハイデガーのもとで学んでいます。ハイデガーの『存在と時間』から強く影響されながら、それに対抗する哲学を構想した意気込みは評価できます。ある意味で和辻は、ハイデガーの概念に対してそれぞれ対抗軸をつくろうとしています。ハイデガーは人間の時間性に着目して歴史性を語ったのですが、和辻は人間の空

間性に着目して風土性を構想したのです。和辻のこの構想は、それ以後、和辻倫理学という形で体系化されます。

> 和辻哲郎：Basic 15 を参照

自然にも権利を与えよう

　「権利」という概念は、一般には、人間ないし人間関係の場面で使われます。そのため、「人権（人間の権利）」が語られるのは、当然だと思われています。これに対して、「自然に権利を与えよ！」と言ったらどうでしょうか。たとえば、「動物の権利」や「樹木の権利」と語った時、認められるでしょうか。

　以前だったら、一笑に付されたかもしれません。「動物が権利をもつなんてありえない」「樹木が生息している土地の所有者の権利なら理解できるが、樹木に権利があるなんて、ばかばかしい！」というように。しかし、1970年代以降、環境保護が唱えられ、状況は大きく変わってきました。その典型的な表現が、「自然の権利」です。『自然の権利』を書いたアメリカのロデリック・ナッシュ*は、次のように語っています。

　　人間という限定された集団の自然権（natural rights）から、自然を構成している各要素の権利、あるいは、（一部の考え方では）自然全体の権利へと倫理が進化しているものとして捉えることである。このような関連性のなかで権利という言葉を使用することは、これまでかなりの混乱を生み出してきた。（中略）この用語は一方では、技術的、哲学的、あるいは、法律的意味で使用されているのに対して、他方では自然、あるいは自然を構成している各要素は人間が尊敬すべき固有の価値をもっているという意味で使

用されているのである。[9]

　今日では、法的な場面で動物や植物、さらには自然全体に権利を要求することもありますし、あるいは人間中心主義を退けて、自然の価値を認めることもあります。

　いままでは、権利は人間にのみ与えられ、それ以外の生物や無生物には、与えられませんでした。人間以外のものは、人間の手段ないし道具と見なされ、それ自体で価値あるものとは考えられなかったのです。

　20世紀の後半になって、アメリカを中心に環境保護運動が盛んになった時、「自然にも権利を与えよう！」という主張が提唱されたのです。しかし、権利概念をこのように拡大させた時、あらためて「権利」の意味を検討する必要があります。「自然」に権利を与えるのがどういうことか――昔だったら問題になりえなかったことが、問われています。

Column

　自然を保護するために、自然に「権利」を与えるかどうかは、意見が分かれます。というのも、「権利」という概念を使わなくても、保護すべきものはたくさんあったからです。この考えの根底には、解放運動にかんする理解が横たわっています。動物の権利を主張する人々は、黒人解放や女性解放、ゲイの解放などの延長線上に、動物の解放を考えています。こうした解放運動では、以前だったら当たり前だと見なしていた差別が、解放後には認めがたいものと考えられるのです。ここには、平等性の原則が基本にあります。動物に権利を与えるのは、人間と動物が平等だと認められるからです。しかし、この時注意したいのは、「平等」を語る時、「何にかんする平等か」という点です。

＞ロデリック・ナッシュ：20-21世紀の存命するアメリカの環境史家。現在もエネルギッシュに、環境保護運動を行なっている。

制作されたもの
と技術的に
自然に生じたもの

　科学の発展によって、「自然」は今日危機的局面を迎えている、と現代ドイツの哲学者ハーバーマス＊は考えています。その理由は、ギリシア以来続いてきた、自然にかんする理解が根底から崩れるからです。

　どうして、そんなことになるのでしょうか。ハーバーマスは、現代の遺伝子工学の発展を想定しながら、次のように語っています。

　　偶然によって操られている種の進化が遺伝子工学の介入可能な分野となるにつれて、ということは、われわれが責任を持つべき行為の分野となるにつれて、作られたものと、自然に生まれてきたものという生活世界では依然としてはっきりと別れているカテゴリーが非＝区分化（sichentdifferenzieren）してくる。[10]

　ハーバーマスによれば、私たちが生活している世界は、アリストテレス＊によって区別された分類に慣れ親しんできました。アリストテレスは、①自然を観照する理論的態度（自然学）、②自然に介入する技術的態度（制作学）、③倫理的に行為する実践的態度（倫理学）に分類しました。いま①と②の区別を考えると、自然発生的なものと制作されたものの区別が成立します。

> ┌ ①自然を観照する理論的態度…自然発生的なもの
> └ ②自然に介入する技術的態度…制作されたもの

　この区別は、ギリシア以来、私たちにとって自明なものとして受け入れられてきたものです。ところが、遺伝子工学という科学技術の発展によって、この当たり前の区別が消えてしまい、混乱することになるというのです。

　たとえば、子どもが生まれる（自然発生的なもの）ために、体外受精によってつくられた受精卵に、ゲノム編集という技術的介入を行なうことを考えてみましょう。技術を加えない自然な状態では、重篤な遺伝病を発症する可能性があったので、受精卵の段階で問題となる部分にゲノム編集を施し、遺伝病に罹患していない子どもが生まれました。この子どもは、技術的な介入によって、「制作されたもの」となるのでしょうか。それとも、一つの生命体として、母親から生まれた「自然発生的なもの」と言うべきでしょうか。

　こう考えた時、「自然発生的なもの」と「制作されたもの」という区分が、はたして混乱することになるのでしょうか。これについては、にわかに肯定できませんが、少なくともテクノロジーの進展によって、この二つの概念区分を再検討する時期にきているのはたしかです。よくよく考えてみると、技術的なものをすべて取り払って、「自然発生的なもの」としての自然が見出せるかどうか、あらためて問い直す必要があります。

Column

　ハーバーマスは現代のバイオテクノロジーによって、アリストテレス以来の「自然」と「人為」の区別がなくなるといって、バイオテクノロジーに反対するのですが、逆の対応も可能でしょう。つまり、現代テクノロジーが要求するような形で、私たちの思考法や概念を変えて

いくべきである、という考え方です。この点は、「人間の尊厳」とい
う概念についても、同じように指摘できます。たとえば、この概念を
使って、バイオテクノロジーに反対する人が少なくないのですが、も
ともと「人間の尊厳」を提唱したカントには、受精卵の遺伝子を操作
するといった、現代のような状況は想定されていなかったのです。そ
の点を考えると、概念の使い方にも注意が必要です。

＞ユルゲン・ハーバーマス：Basic 8 を参照
＞アリストテレス：Basic 2 を参照

制度
Institution

見える制度、
見えない制度

　わたしたちは、制度についてとくに意識することなく生活しています。家族のもとで生まれ、言葉や習慣を学び、学校や会社に行く、など挙げていけばキリがありません。

　人々が集まって、活動する場面では、さまざまな制度が形成されています。極端に言えば、生まれてから死ぬまで、私たちは制度とともに生きているのです。

　見える制度もあれば、見えない制度もあります。

　ところが、空気と同じように、あまりに身近であるために、そもそも制度とは何なのか、あまり問われなかったのです。しかし、旧来の制度が、いろいろな場面で揺らぎはじめた今日こそ、あらためて制度に目を向ける必要があります。

　制度は英語ではinstitutionと表現されますが、ギリシア語にさかの
ぼってみると「ノモス (nomos)」にあたります。これは具体的には、法
律、礼法、習慣、掟、伝統文化などの規範を指しています。

　制度の形態は多岐にわたっていて、全体を網羅することはできません
が、たとえば、言語、慣習、道徳、政治、法律、芸術などを考えると、
少しはイメージできるかもしれません。

　日本の哲学者三木清は、『構想力の論理』(1939) の中で「制度」を論
じていますが、その特徴として三つを挙げています。

　**一つは「擬制 (fiction)」であること。もう一つは「慣習 (convention)」
であること。最後に、「法的」で強制的に個人に対すること。**

　つまり、制度は人間が生まれつき身につけたものではなく、あえて人
為的に作り出されたものであり、それが社会的な慣習となって固定化し、
時として個々人に強制的な権力をおよぼすのです。

　このように考えると、制度の広がりとともに、その根深さを感じるこ
とができるのではないでしょうか。そのため、制度について一般的に論
じても、あまり理解が進みませんので、このパートでは、制度の具体的
なあり方を見ながら、哲学の考えを確認しておくことにします。

ピュシス（自然）とノモス（規範）は対立するか？

「制度」という概念は、歴史的な起源をさかのぼると、ギリシア語の「ノモス（nomos）」になりますが、この言葉は通常、「法律」や「慣習」などと訳されています。社会の中で人々の行動や思考を強く縛る規範と見なされているのです。

　この言葉が哲学において、とくに注目されるようになったのは、「ノモス」と「ピュシス」が対概念として使われるようになったことに起因します。もともとは対概念ではなかったのですが、ソクラテス*やプラトン*が活動するころに、対概念として使用されるようになりました。

　対概念として使われる時、「ノモス」は「人間による間違った思い込み」、「ピュシス」は「思い込みから独立した真実」として、しばしば理解されました。たとえば、原子論者として有名な**デモクリトス***は、「色彩も甘いも辛いもノモスの上のこと、真実にはアトムと空虚があるのみ」と言っています。

　こうした考えを、主張した人たちが、一般には「ソフィスト」だと言われています。ソフィストとは、外国からやってきて弁論術などを教える職業的知識人です。ギリシアでは、弁論の巧みさが、社会的にステップアップできる方法になっていましたので、それを商売にする人たちが出てきたのです。そのなかの一人、**アンティポン***は、次のように語ったと言われています。

　正当なというのは、自分の住む国の習慣や法律に違反しないということなのであるが、この意味の正当ということを自分のために最もよく利用するには、証人となる者のいる時はかかる法律習慣を大いに敬い、証人のいない時には自然のそれを敬うがよい。法律は後から勝手に定められたものであるが、自然のそれは必然的なものだからである。[1]

　ここで想定されているのは、「〈ノモス＝人為＝偽物〉VS〈ピュシス＝自然＝真実〉」という構図です。ソクラテスやプラトンは、こうした対立理解そのものに異を唱えたのですが、この時期に「ノモスとしての制度」という考えができ上がったのはたしかです。

　これ以後、**制度をどう評価するかはさまざまですが、その根底には、「自然本性」との対比があることは考えておく必要があります。**

　この時、「思い込み」か「真実」かという枠組みも持ち込まれたのですが、今日から見ると、この対比自体が再検討されなくてはならないのです。というのも、習慣や慣習そのものが、人間にとってまさしく真実となるからです。

> ソクラテス：Basic 2 を参照
> プラトン：Basic 2 を参照
> デモクリトス：紀元前 5−前 4 世紀の古代ギリシアの哲学者。万物のアルケー（根源）を生成消滅しないアトムと見なし、古代において原子論を唱えた。
> アンティポン：古代ギリシア時代に、同一の名前で、雄弁家（紀元前 5 世紀）とソフィストの二人が知られているが、同一人物かどうかは未確定。ソフィストのアンティポンには、法と自然の対立を論じたものがある。

第二の自然になった制度

　ギリシア以来、制度は「ノモスとピュシス」という対概念のもとで理解されてきました。しかしながら、制度はそもそも、ピュシスに対立するような人工物と見なすことができるのでしょうか。ノモスとピュシスの対立とは違う視点が、必要になります。

　というのも、制度とされる習慣や法、さらには人間の性格や行動などが、古くから「第二の自然」と呼ばれてきたからです。すなわち、「ノモス」は単に「ピュシス」に対立するわけではなく、むしろ「第二のピュシス」と見なされてきたのです。

　その点について、興味深い二人の哲学者の議論を見ておきましょう。一人はモンテーニュ*で、16世紀に活躍し、『エセー』を書いています。それから1世紀ほど後に、パスカル*が『パンセ』を書くのですが、パスカルはモンテーニュの議論を意識しながら、それの改作を企てています。そうした関係を念頭において、「第二の自然」にかんする二人の議論を読むと、「制度」にかんして興味深い視点が見えてきます。

　まず、モンテーニュですが、彼は次のように書いています。「習慣は第二の自然である。第一の自然に比べて弱いものでは決してない」。これを読むと、モンテーニュが自然と習慣を、ピュシスとノモスの対立として理解するのではなく、ともにピュシスのあり方として統一的に理解しているのが分かります。

ところが、パスカルはモンテーニュのこの言明をふまえながら、さらに先へと進めようとするのです。彼はこんな風に語っています。

習慣は第二の自然性であって、第一の自然性を破壊する。しかし自然性とは何なのだろう。なぜ習慣は自然でないのだろう。私は、習慣が第二の自然性であるように、この自然性それ自身も、第一の習慣であるにすぎないのではないかということを大いに恐れる。[2]

パスカルは、自然と習慣（制度）との対立を解体するため、習慣を「第二の自然」と呼ぶだけでなく、さらに自然の方を「第一の習慣」と呼ぶわけです。習慣はまったくランダムに起こるのではなく、「法則」と呼ばれる「斉一性」を備えています。とすれば、自然もまた、「習慣」なのではないだろうか——これがパスカルの問いかけです。

モンテーニュとパスカルが提示した議論によって、「自然」と「制度」を対立的に見る視点が、根本的に変わるのではないでしょうか。

Column

パスカルの『パンセ』には、制度が恣意的であることを示す印象的な断章があります。たとえば、次のものです。

「緯度の三度のちがいが、すべての法律をくつがえし、子午線一つが真理を決定する。（中略）川一つで仕切られる滑稽な正義よ、ピレネー山脈のこちら側での真理が、あちら側では誤謬である」（『パンセ』§294[2]）

ここから、相対主義を引き出すことも可能ですが、それ以前に「法とは何か」とか「正義とは何か」といった根本的な問題を考えることもできます。「習慣は、それが受け入れられているという、ただそれだけの理由で、公平のすべてを形成する。これがその権威の神秘的基礎である」[2]

これは恐ろしい洞察といえます。というのも、その基礎を問い直せば、「消滅させてしまう」からです。

＞ミシェル・ド・モンテーニュ：Basic 9 を参照
＞ブレーズ・パスカル：Basic 9 を参照

制度の世界についての学問が必要だ

　近代になると、科学革命と呼ばれるような、自然科学の飛躍的な発展が起こりました。そのため、**デカルト***をはじめ多くの哲学者は、自然学をモデルにした学問を形成しました。ところが、この近代主流の考えに、真っ向から反対したのが、イタリアの哲学者**ヴィーコ***です。

　ヴィーコは、デカルトよりも70年ほど後に生まれていますが、メインストリームの哲学史から外れています。しかし、「制度」を考える時、彼は注目すべき原理を提唱しています。そのため、ポピュラーな哲学史は、書きかえる必要があります。

　ヴィーコは、自然にかんする学問に対して「新しい学問」が必要であることを力説し、それが「国家制度的世界」にかんする学問だと語り、次のように宣言しています。少し長いですが、ヴィーコの意図がよく分かりますので、引用しておきます。

　　われわれから遠く離れた原初の古代をおおっている、かくも深い闇の中に、いかにしても疑うことのできない真理の、消えることのない永遠の光が見える。すなわち、この国家制度的世界はたしかに人間たちによって作られたのであり、それゆえ、それの諸原理はわれわれの人間精神自身の諸様態の内部に見出すことができる。（中略）このことに思いを致すならば、ひとはだれでも、どうしてまた、これまですべての哲学者たちは、このほ

う〈自然の世界〉は神が作っているので神のみが知識をもっているにもかかわらず、自然の世界についての知識を達成しようなどとまじめに努めてきたのか、そして、こちらのほう〈国家制度的世界〉は人間たちが作ってきたのであるから、これについての知識は人間たちが達成できるはずの、諸国民の世界もしくは国家的制度の世界について省察することを怠ってきたのか、と驚きの念にとらわれるにちがいない。[3]（引用者訳）

　ここでヴィーコは、「自然の世界」と「制度の世界」を対比し、前者を神によって作られたもの、後者を人間によって作られたものと規定しています。そこから、**人間が真の知識として探究すべきは、「制度についての学問」だと主張する**のです。なぜなら、自分で作ったものこそ、人間が本当に理解できるからです。

　今日では、自然の世界を神が作ったと見なすかどうかは、意見が分かれるでしょう。しかし、それを人間が自分で作ったとは考えないはずです。それに対して、制度の世界は人間によって作られたものですから、これについてもっと真剣に省察してもよかったかもしれません。そのため、ヴィーコの警句は彼の名と共に、長いあいだ忘れられたのですが、今日あらためて再認識されるようになりました。

Column

　人間が作り出した制度の世界を分析する哲学者が、ヴィーコをはじめとしてイタリアには少なくありません。たとえば、**マキャベリ**＊はヴィーコより200年ほど前の世代ですが、『君主論』を書いて、現実的な政治理論をはじめました。また、ヴィーコから200年ほど後には、**パレート**＊（経済学）、**クローチェ**＊（歴史学）、**グラムシ**＊（マルクス主義）などがそれぞれ特有の理論を形成しました。この伝統は、現代では**アガンベン**＊や**ネグリ**＊などによって、継承されています。イタリア哲学というと、英独仏のメインストリームから外れているように

見えますが、独自の自由な理論が形成されていますので、この機会に
視野を広げておきたいものです。

> **ルネ・デカルト**：Basic 12 を参照
> **ジャンバッティスタ・ヴィーコ**：17-18 世紀のイタリアの哲学者。同時代のデカルト派に対抗して、歴史哲学を展開した。1725 年発表の『新しい学』が代表作である。
> **ニッコロ・マキャベリ**：15-16 世紀のイタリアの政治思想家。没後に発表された『君主論』は、政治論の古典として読み継がれている。
> **ヴィルフレド・パレート**：19-20 世紀のイタリアの経済学者、哲学者、社会学者。社会的変化について、性質の異なるエリート集団が交互に支配者として入れ替わるという、「エリートの周流」という概念を提起した。
> **ベネデット・クローチェ**：19-20 世紀のイタリアの哲学者・歴史学者。ヘーゲル哲学の批判的検討によって、歴史哲学や美学などに重要な著作を出版し、大きな影響を与えた。
> **アントニオ・グラムシ**：19-20 世紀のイタリアの革命家、哲学者。ムッソリーニのファシスト政権によって長いあいだ投獄された。その間に書いたノートが、後にグラムシ思想として影響を与えた。
> **ジョルジョ・アガンベン**：20-21 世紀のイタリアの存命する哲学者。1995 年発行の『ホモ・サケル』のほか、多くの著書がある。
> **アントニオ・ネグリ**：20-21 世紀の存命するイタリアの哲学者、革命家。主にスピノザやマルクスの研究で知られ、フランスのドゥルーズから影響を受けている。2000 年にアメリカのマイケル・ハートと共著で『帝国』を発表し、世界的な話題になった。

制度は人間の趣味嗜好も決めている

　私たちはふつう、趣味の違いは個人的なものと考え、制度にはかかわらないと見なしています。卑近な例で言えば、どんな食べ物が好きか嫌いかは、個人の好みであり、制度によって左右されるとは思っていないのです。

　ところが、現代フランスの思想家ピエール・ブルデュー*によれば、文化的な趣味の違いや行動様式は、社会的な制度によって形成されているのです。たとえば、彼は次のように語っています。

　　あらゆる文化的慣習行動（美術館を訪れること、コンサートに通うこと、展覧会を見に行くこと、読書すること、等々）および、文学・絵画・音楽などの選好は、まず教育水準（学歴資格あるいは通学年数によって測定される）に、そして二次的には出身階層に、密接に結びついている。[4]

　こうした指摘は、今日では、おそらくある程度予想できるかもしれません。しかし、ブルデューはその主張を実証するため、さまざまな概念を提唱するのです。その一つが、「文化資本」という概念です。
「資本」という概念は、通常は経済的な活動で使われるものです。マルクスの『資本論』がその代表ですが、ブルデューはそれを経済的領域だけでなく、「文化」についても語るわけです。では、「文化資本」という

のは、何を意味するのでしょうか。

　一つは、書物や絵画など、物質的に所有可能なものです。ブルデューはまた、知識・教養・技能・趣味・感性など、個人のうちに蓄積されたものを、「文化資本」と呼んでいます。さらには、制度化された「文化資本」も考えられています。これには、学歴や資格など、学校制度によって与えられたものがあります。このほかに、日本語の人脈に近い「社交資本」という概念も使っています。この社交資本によって、さまざまな利益が生み出されるのは、よくご存知ではないでしょうか。

図23　制度の違いによる食品の好み

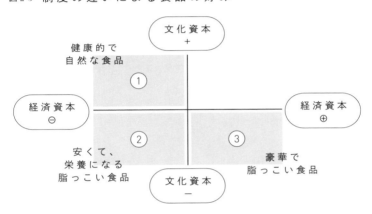

　こうした文化資本や社交資本は、個人が属する階級や階層に特有の行動のあり方、知覚の様式を生み出すようになります。これをブルデューは、「ハビトゥス」と呼んでいます。この言葉は、ラテン語に由来し、「態度」や「習慣」などを意味しています。

　文化資本などの「制度」によって、個々人の「ハビトゥス」が形成され、それにもとづいて趣味や嗜好が変わってくるのです。だとすれば、個人的な好き嫌いの問題であっても、「制度」を切り離すことはできません。ブルデューが提示した図を、簡略化して提示しておきます。これ

を見た時、食べ物の好みまで制度がかかわることを、理解できるのでは
ないでしょうか。

> ピエール・ブルデュー：20-21世紀のフランスの社会学者、哲学者。1979年に出
版された『ディスタンクシオン』が有名。「文化資本」や「ハビトゥス」などの概念
を提唱し、社会における権力のあり方を解明した。

親族の制度によって構造化された社会

　制度によって、人間の行動が根本的に規定される——これをレヴィ゠ストロース*は、人類学の分野で明らかにしました。彼はまず、社会を「冷たい社会」と「熱い社会」に分けるのですが、その基準は歴史的変化にあります。

「冷たい社会」というのは、歴史的に変化せず、長いあいだ同じ制度が続くもので、いわゆる「未開社会」と呼ばれてきました。それに対して、「熱い社会」は文明化された社会で、社会制度が歴史とともに変わってきました。

　マルクスが分析したのは「熱い社会」であり、その時歴史的な変化の原動力を経済的な要因に求めたのです。これに対して、「冷たい社会」を分析したのがレヴィ゠ストロースですが、その主要なテーマになったのが「親族関係」や「婚姻の規則」です。

　注目すべきは、レヴィ゠ストロースが親族関係を分析する時、「群論」と呼ばれる現代数学の手法を使って、鮮やかに解明したことです。

　これによって明らかになったのは、いままで「未開」だと見なされてきた社会が、高度な現代数学による分析によって解明できるほどの、高度な社会を形成していることでした。彼は、ブルバキ派*の数学者に分析を依頼し、親族の構造を取り出したのです。

　ここでは簡単なモデルにして、考えてみましょう。たとえば、オース

図24　冷たい社会と熱い社会

トラリアに住むカリエラ族では、誰もが4つのグループのどれかに所属する、とします。それぞれをA、B、C、Dとすると、婚姻の組み合わせと生まれた子どものグループは、次のような組み合わせになるとされます。

図25　婚姻の組み合わせと生まれた子どものグループ

夫（男）	妻（女）	子
A	B	D
C	D	B
D	C	A
B	A	C

　レヴィ゠ストロースによると、ここで示された法則は、数学的に記述でき、さらに、そこから人類学の知見であった①近親婚の禁止や、②平行イトコ（母の姉妹の子ども・父の兄弟の子ども）婚の禁止が論理的に導くことができるのです。その具体的な説明はできませんが、この時レヴィ゠ストロースは次のような構造概念を念頭においています。

　「構造」とは、要素と要素間の関係とからなる全体であって、この関係は、一連の変形過程を通じて不変の特性を保持する。[5]

　人間は、自分が意識的に行動するわけでもないのに、知らず知らず

のうちに形成された「構造」に入り込み、それを支えているわけです。

これは、あくまで「冷たい社会」の制度ですが、人間にとって制度の意義を確認する重要な事例になっています。

Column

1960 年代にフランスで流行した**構造主義哲学***は、レヴィ゠ストロースの人類学からはじまりました。彼は、サルトルと同じ年代ですが、哲学から人類学へ研究を広げていきました。主著である『親族の基本構造』は 1949 年に出版されていますが、ブームとなったのは 1960 年代のはじめに、サルトルを批判した『野生の思考』(1962) からです。その後、構造主義はさまざまな領域で流行していくのですが、レヴィ゠ストロースは「構造主義は言語学と人類学だけ」とくぎを刺しています。この点は、構造主義をどう理解するかを考える時、注意しておく必要があります。

〉**クロード・レヴィ゠ストロース**:20–21 世紀のフランスの文化人類学者、哲学者。第二次大戦後フランスで、構造主義をはじめ、1960 年代にはブームをつくった。とくに、1962 年に発表した『野生の思考』では、サルトルを批判して、実存主義から構造主義への転換を鮮やかに宣言した。

〉**ブルバキ派**:1930 年代にフランスで生まれた若手の数学者集団であり、その名前ニコラ・ブルバキはあくまでもペンネームである。構造概念にもとづいて、膨大な『数学原論』を執筆した。レヴィ゠ストロースは、この派の一人であるアンドレ・ヴェイユに依頼して、親族構造の数学化を獲得した。

〉**構造主義哲学**:構造主義の言語学(ヤコブソンやソシュール)や、レヴィ゠ストロースの構造人類学をモデルにして、フランスでは心理学、社会理論、モード理論、文芸批評、歴史学などさまざまな理論が形成された。これらが構造主義哲学と呼ばれた。

言語という制度を通して理解する

　人間が動物から区別される本性を考える時、ポイントになるのは言語とされてきました。そのため、人間を規定する時、「ロゴス〔言葉〕をもつ動物」とか「言葉をもつ人〔ホモ・ロクエンス（homo loquens）〕」と言われてきたのです。

　この言語こそが、人間の基本的な制度になっています。しかし、どうして言語が制度と見なされるのでしょうか。

　20世紀の哲学に大きな影響を与えた言語学者のソシュール*は、言語を考える時、二組の対概念で説明しています。

　一つは、ラングとパロールです。ラングというのは、日本語とかフランス語というような、一定の共同体で使われる言語です。

　それに対して、パロールというのは、個々人が実践する発話行為です。私たちは、日本語というラングを、パロールによって日々運用しているのです。

　もう一つは、シニフィアンとシニフィエです。これは直訳すると、「意味するもの」と「意味されるもの」ですが、最近は「記号表現」と「記号内容」と訳されています。

　たとえば、目の前にいるワンワンと吠える動物を指して、〈イヌ〉と呼ぶ時、音声となったのがシニフィアンであり、それによってイメージされる「犬」がシニフィエです。

　こうしたソシュール言語学の第一の原理となるのは、シニフィアンとシニフィエの関係が恣意的である、ということです。実際、〈イヌ〉という音声と、イメージされる「犬」の間に、必然的な関係はありません。音声とイメージとの結びつきは、社会的な習慣によって形成されたもので、他の習慣があれば別の結びつきが形成されるのです。たとえば、英語では〈ドッグ〉とか、ドイツ語では〈フント〉のようにです。そして、この点に、言語が制度である理由もあります。

　では、恣意性の原理から、何が帰結するのでしょうか。ソシュールによると、言語はすでに存在している事物に対して、ラベルを貼り付けることではありません。むしろ、言語によって、世界における事物はさまざまに切り分けられるのです。

　世界にはあらかじめ決まった意味があるわけではありません。言語による切り分け方の違いによって、異なる世界が現われるのです。こうして、人間が言語を使うことによって、それぞれラングに応じた異なる世界ができ上がるわけです。ラングが違えば、世界の分類も違ってくるのです。

　このように、**言語はそれ自身一つの制度ですが、それと同時に他の制度を支える基礎的な制度にもなっています。**

　そのため、「制度とは何か」を考える時は、言語にターゲットを絞って解明されることがあります。たとえば、ソシュールは言語のあり方を、貨幣になぞらえていますが、その根拠は貨幣も制度として、言語と類比的に考えることができるからです。

　もちろん、同じ制度とはいえ、貨幣には言語とは違った側面があることは言うまでもありません。

Column

　ソシュールが使った二項対立で、他の分野でもしばしば利用されている概念があります。それが、**通時的（diachronique）と共時的**

(synchronique) という対立です。ソシュール以前の言語学は、言語の歴史的な変化を解明する通時的な研究が多かったのですが、ソシュールは言語を一定時期に切断して、その断面を解明する共時的研究を行ないました。それが『一般言語学講義』（1916）です。ただ、この著作はあくまでも講義録であり、死後に弟子の編集で出版されたもので、現在では新たな編集版も発表されています。

> フェルディナン・ド・ソシュール：19-20 世紀のスイスの言語学者。近代言語学の父と呼ばれ、20 世紀思想に大きな影響を与えた。とくに、1960 年代にフランスで構造主義が流行すると、その典拠としてソシュールの言語学が利用された。

二十世紀の流行思想となった文化相対主義

　人間の考えやものの見方が、所属する集団の制度によって規定されることは、古くから知られていました。たとえば、ギリシア時代のヘロドトス*は、『歴史』の中で印象深い例を挙げています。近親者が亡くなった時、火葬する部族もあれば、食人する部族もあると。しかも、それぞれの集団は、自分たちの風習・習慣が正しく、他のものは奇妙で認めがたいと見なすのです。

　こうした考えは、現代では「文化相対主義」と呼ばれるようになりました。これは、アメリカの人類学者であるフランツ・ボアズ*に由来するとされますが、正確には、ボアズがこの用語を使ったわけではありません。しかし、ボアズは、人間の認識が「文化メガネ」によって、大きく影響されることを主張しています。

　文化相対主義的な考えは、第二次世界大戦が終わって、植民地解放が進むことによって、いわば国際的なコンセンサスのようになりました。文化や制度が違えば、考えや見方は異なっており、優劣をつけることができないだけでなく、いずれが正しいかも決定できない、というわけです。

　いままで、文化については、進化論的な見方が優勢で、科学が発展した西洋文化が最上の位置を占めてきました。ところが、文化相対主義の立場からすると、**さまざまな見方の違いがあったとしても、それらは文**

化や制度の違いであって、唯一の基準や原理があるわけではないのです。

　文化相対主義は、言語論や記号論、知識社会学、科学史などの知見と結びついて、さまざまな分野でいわば常識のように語られるようになりました。たとえば、

> 言語や文化が違えば、世界は違って見える。
> パラダイムが違えば、まったく違った世界に住んでいる。
> 社会が違えば、思想はまったく違ってくる。

　この考えは、20世紀末には、社会的にも浸透し、「ダイバーシティ」がキーワードにもなっています。しかし、今日では、文化相対主義のさまざまな問題点も指摘されるようになりました。

　たとえば、文化相対主義の考えでは、真理や道徳がどうなるのか危惧されています。文化や制度が違えば、正しさもよさもまったく変わってくると言うべきでしょうか。それとも、共通の基準や原理があるのでしょうか。相互の対話の可能性も含め、あらためて問題になっています。

Column

アメリカの哲学者リチャード・ローティ*は、文化相対主義に対して面白い意見を表明しています。それによると、二つの文化が違っていても、100％違う考えをもつわけではないことです。また、同じ文化の人たちでも、100％同じ考えになるわけでもありません。というのも、理解にかんして同じか違うかという時、つねに程度問題にすぎないからです。また、異なる文化の人よりも、同じ文化内の方が、対立が大きい場合もあります。そう考えると、文化の違いを絶対化して、理解できるかどうかを問題にしても、あまり有効ではありません。考えが同じか違うかは、違う文化でも同じ文化でも、つねに程度問題にすぎません。ある程度共通の部分を足がかりにして、そこから対立を

少なくすることが重要です。

> **ヘロドトス**：紀元前 5 世紀の古代ギリシアの歴史家。「歴史の父」と呼ばれ、ペルシャ
　戦争を主題にした『歴史』を著わした。
> **フランツ・ボアズ**：19–20 世紀のアメリカの文化人類学者。先住民の調査に基づき、
　「文化相対主義」の基本的な考えを打ち出し、その後の人類学の方向に影響を与えた。
　ルース・ベネディクトをはじめ、多くの優秀な弟子を輩出した。
> **リチャード・ローティ**：Basic 8 を参照

制度は技術によって形成される

　「制度」を言語や文化の観点から考える時、しばしば忘れられてきたのは、メディアや技術の問題です。というのも、言語にしても文化にしても、それを伝える媒体（メディア）や技術が必要だからです。

　たとえば、口頭で伝えるか、印刷された文書で伝えるか、映像で伝えるかによって、その理解が変わってくるはずです。したがって、メディアや技術は、制度として決定的な役割を果たしています。

　分かりやすい例として、中世から近代へと時代が大きく転換する時期を考えてみましょう。この時、近代科学が形成されるとともに、羅針盤や活版印刷技術が普及しました。これによって、グローバルな経済活動が引き起こされたり、宗教改革が進展したり、近代国家が組織されたりしました。

　ここであらためて活版印刷技術を考えてみると、聖書が各国語に翻訳され出版されたことと宗教改革運動は、結びついています。また、書物の出版が、近代国家のナショナリズムを生み出すことにもつながっています。さらには、印刷物の普及によって、近代民主主義を担う公衆が誕生することも、知られています。

　このように、技術はさまざまな形で社会的な影響を生み出すのです。

　ドイツの哲学者フリードリヒ・キットラー＊は、19世紀に起こった「技術メディア」の革命を解明し、その意義を論じています。たとえば、

映像や音声を記録・再生するという技術は、そのころ起こったのですが、これは人間のあり方に決定的な変化をおよぼすのです。そのために、メディアの歴史として、三つの段階を考えてみます。

　文字が使われる前の音声メディア（だけ）の段階では、人間同士の関係は狭く、コミュニケーションもその時だけにかぎられています。音声は、記録できず・離れた場所や他の時には伝えることができません。

　これに対し、文字メディアが生まれると、離れた場所や他の時も伝えることができます。しかし、映像や音声などの情報は、いったん文字へと変換しなくてはならず、文字の意味を理解できなくてはなりません。

　キットラーによれば、書物（文字メディア）の支配は、18世紀まで続きますが、19世紀になると、新しい技術メディアによって覇権的な地位を失うことになります。映像や音声が、文字へと変換されることなく、そのままに記録したり、伝達したりできるようになります。

　こうして、技術メディアは多くの人に一気に影響を与えることができるようになります。また映像や音声だと、文字の意味を理解する必要もありませんので、大衆メディアとして政治的に利用することもできます。このように、現代では、技術メディアが人々の考えや行動に、決定的な影響を与えるようになったのです。

Column

技術を考える時、人間にとって補助的な役割と見なされていました。役に立つ道具というイメージです。しかし、今日では、技術をそうした理解では捉えられないことが明らかになっています。たとえば、ハイデガー*は第二次世界大戦後になって、重要な技術論を提唱しましたが、それによると人間は技術を通して全体的なシステムへと組み込まれるのです。これを彼は、「駆り立て機構（ゲシュテル）」と呼びました。たとえば、ある地域が石炭や鉱物を目指して駆り立てられます。この石炭は、蒸気へ向けて駆り立てられ、またこの蒸気は運動装置を

駆動するように駆り立てられます。こうして、駆り立ての連鎖ができ上がり、この連鎖のなかに人間が組み込まれるのです。しかも、人間は、この全体的な駆り立てのシステムから、逃れることができません。これは技術的なシステムであると同時に、私たちの制度にもなっています。この観点から、家族や会社、都市や国家などを見ると、技術に支配された人間のあり方が理解できます。

> フリードリヒ・キットラー：20-21世紀のドイツの哲学者。メディア論をテーマとして、新たな哲学の方向を構想したが、表現が難解なため必ずしも十分理解されなかった。1985年の『書き取りシステム1800-1900』と翌年の『グラモフォン・フィルム・タイプライター』が代表作。
> マルティン・ハイデガー：Basic 10を参照

対話によって権力関係は解決するか？

　制度はどのようにして形成されるのか？　また、いったん作り出された制度は、どうやって変更できるのか？——こうしたことを考える時、重要な概念となるのが「権力」です。「権力」というと特別の機関や個人が所有する強制的な力であり、上から下へ命令的に働く、とイメージされるかもしれません。

　しかし、こうした権力観では、現代の具体的な制度が分からなくなります。というのも、そうした恐ろしい権力者などいなくても、権力は働き、制度が形成されているからです。では、どう理解したらいいのでしょうか。「権力」概念の革命を行なったフランスのミシェル・フーコー*は、次のように語っています。

> 　権力という語によってまず理解すべきだと思われるのは、無数の力関係であり、それらが行使される領域に内在的で、かつそれらの組織の構成要素であるようなものだ。(6)

　フーコーによれば、人間関係のいたるところで、権力は働いています。たとえば、食卓を囲む「親子関係」でも、授業中の「生徒—教師関係」でも、権力関係は成立しています。もちろん、友人関係にも、職場の中での人間関係にも、権力は無視できません。こうしてでき上がった権力

関係は、現実の制度と考えることができます。

　たとえば、授業中に、教師がある生徒に、「図書館から本をもってきてくれ」と命じるのは、明らかに権力的なものです。教師と生徒の現実的制度ができ上がっているからこそ、教師は生徒にこうした命令ができるのです。この時、教師からの評価を期待して、生徒は忠実に従うかもしれません。もし、この要求を生徒が断ったら、どうなるでしょうか？

　こういった、いったんでき上がった制度を変えるために、**ハーバーマス***は「コミュニケーション」概念を提示して、新たな人間関係を提唱しています。**この時ポイントになるのが、自分や相手の地位や資格などを顧慮しないで、対等なコミュニケーションをすることです。**たとえば、先の例では、生徒と教師という権力関係にもとづく立場ではなく、まったく対等な立場で教師の要求に対応することです。このような状況を、ハーバーマスは「理想的発話状況での対話」と呼んでいます。

　こうした観点からすれば、教師の要求に対して、生徒は次のように言えるかもしれません。「講義中、図書館から本をとってくることは、私の役目ではありません。それを私に命じる資格は、先生にはありません。先生はあらかじめ十分準備して、講義すべきではなかったでしょうか」

　こういった場面を想定した時、教師は特別な地位を利用して生徒に命令することができないでしょう。このことは、職場でも、家庭でも言えますが、制度として権力関係が現実にでき上がっている時は、なかなか難しいかもしれません。しかし、こうしたコミュニケーションが可能であることは、想定しておく必要があります。

Column

ハーバーマスはフランクフルト学派の第二世代として、**アドルノ***や**ホルクハイマー***の後を受けて、批判理論を発展させました。その時、中心になったのが、コミュニケーション概念です。ハーバーマスによ

ると、第一世代のアドルノやホルクハイマーは、近代社会を批判するさい、その有効な原理である「啓蒙的理性」まで否定してしまいました。これに対して、ハーバーマスは近代の啓蒙的理性を全面的に否定するのではなく、その可能性をコミュニケーション的理性によって発展させていくべきだと考えたのです。そのため彼は、フランスの**ポストモダン派***の哲学に対して、**モダン派***として地歩を固めていきました。ハーバーマスにとって、近代を否定するのではなく、完成させることが重要だったのです。

> ミシェル・フーコー：Basic 19 を参照
> ユルゲン・ハーバーマス：Basic 8 を参照
> テオドール・アドルノ：20 世紀のドイツの哲学者。ホルクハイマーとともに、フランクフルト学派をはじめ、20 世紀の哲学に大きな影響を与えた。
> マックス・ホルクハイマー：19-20 世紀のドイツの哲学者。アドルノとともに、フランクフルト学派を設立し、共著として『啓蒙の弁証法』を書いている。フランクフルト学派の批判理論の基礎を築いた。
> ポストモダン派：ポストモダニズムが流行していた時、それを推進するポストモダン派と批判的なモダン派の対立があった。ドイツのハーバーマスはモダン派、フランスのリオタールはポストモダン派。
> モダン派：ポストモダン派を参照。ポストモダンに対抗する形で、モダン（近代）の意義を強調する立場。

Chapter 9

社会
Society

他人といかに共生するか

　哲学のテーマとして、人間の世界は自然の世界と並ぶ二大領域になってきました。ギリシア時代から、人々の集まりをどう捉えるかはたえず問われてきたのです。しかし、人間の集まりを「社会」と表現するかどうかは、注意が必要です。

　というのは、「社会」を意味する英語のSocietyは、元をただすと、**アリストテレス***の「**コイノーニア（koinonia）**」にさかのぼりますが、これを「社会」と訳すかどうかは微妙です。むしろ、「共同体」と訳される言葉で、一般にイメージされる「社会」とは違っています。

「社会society」という言葉は、アリストテレス以後の複雑な歴史的由来があって、それを無視して使うと、誤解を招くことがあります。現在でも、societyは、小はサークルやクラブからはじまり、団体や協会な

どの組織、さらには「会社」も含まれ、大は人々の集まり全体にまでおよんでいます。したがって、「社会」という言葉を使う時は、このあたりの状況を念頭に置きたいものです。

今日、「社会」を理解する時、大別すると二つの観点から行なわれてきました。一つは社会有機体論というもので、もう一つは社会原子論と呼ばれています。この違いは、基本的には、「Society」の歴史的変化に対応しています。

一方の有機体論は、Societyをギリシア的な「共同体（コイノーニア）」と理解するものでアリストテレスが代表しています。この考えは、社会をいわば一つの有機体（緊密に結びついた共同体）と見なして、個々人をその一部と見なすことです。それに対し、他方の社会原子論では、近代の社会契約論者たちが代表しています。ちょうど彼らの時代に、Societyの概念が変わりはじめ、それぞれ独立した個人の集まりとして「社会」が考えられたのです。

もちろん、社会有機体論的考えは、古代だけに限定されるわけではありません。共同体の側面を強調する哲学者たちは、現代まで多く出てきました。その時には、共同体となるのは国家とされ、社会と国家の対立が強調されます。

今日では、「ソサエティ」概念の歴史的経緯は、ほとんど意識されませんが、「社会」という言葉を使う時、ぜひとも想起しておきましょう。日本語で「社会」という訳語が作られたのは、明治時代になってからですが、それ以前には「社会」はなかったともいえます。**独立した個人という発想がなければ、「社会」は成立しないからです。**

このように、何気なく使っている「社会」という言葉には、その背後に多くの文脈が含まれています。無用な誤解を避けるためにも、気になったらいつでも調べることにしましょう。

＞アリストテレス：Basic 2 を参照

ポリス的動物

　人間の社会性を示す言葉として、一般には**アリストテレス**[*]の有名な
テーゼが引用されます。たとえば、次の箇所です。

> 　かくて以上によって見れば、国家（ポリス）が（まったくの人為ではなくて）
> 自然にもとづく存在の一つであることは明らかである。また人間がその自
> 然の本性において国家をもつ（ポリス的）動物〔ゾーオン・ポリティコン〕
> であることも明らかである。[1] （引用者訳）

　しかし、注意したいのは、ここで使われているのは「社会的動物」で
なく、「ポリス的動物」であることです。アリストテレスによれば、「ポ
リス」は「ある種の共同体（コイノーニア）」とされます。この共同体には、
「家」や「村」も含まれますが、これらの共同体のうちで、最高のもの
が「ポリス」とされるのです。

　このように、人間を「ポリス的動物」と見なす時、アリストテレスは
とくに、「言葉」との結びつきを強調します。その理由は、「動物たちの
中で言葉をもっているのは人間だけであるから」です。アリストテレス
によれば、**言葉は「有益なものや有害なもの、正しいものや正しくない
ものを明らかにする」**とされます。そのため、言葉をもつ人間が、ポリ
スを形成するわけです。

> 他の動物たちと違う人間の特性とはこれ、すなわち独り善悪・正邪等についての知覚を有するということである。つまり、これらの知覚をもって共同生活する者たちが、家やポリスを作るのである。[1] (引用者訳)

　共同生活する者たちの中で、言葉を使いながら、善悪や正邪について判断できることが、「ポリス（国家）」の条件になっています。ここで分かるのは、アリストテレスの考えている「国家」は、近代以降の「社会」とは大きく異なっていることです。彼は、「国家」が個人や家族よりも先立っている、と考えているからです。その理由となるのが、国家を一つの身体と見なし、家族や個人などをその身体の手や足と見なすことです。「人間は国家から切り放された時には、もはや自立した存在ではなくなり、切り放された手足と体全体との関係と同じになってしまう」と言われます。

　この発想からすると、自立した諸個人を前提しながら、そこからどのように社会的関係を取り結んでいくのか、――こうした近代以降の「社会」概念は、はじめから存在しないことが分かります。

　とすれば、アリストテレスの「ポリス的動物」という規定を、「社会的動物」と言いかえて、人間の社会性として問題にするのは、幾重にも誤解を生み出すかもしれません。アリストテレスの「コイノーニア（koinonia）」は後にラテン語の「ソキエタス（societas）」に翻訳され、それが英語の「ソサエティ（society）」へと変化していくのですが、この時その内実も変わっていることに注意したいと思います。

Column

アリストテレスの国家共同体（ポリス）の発想は、古代ギリシア時代の状況から生まれたものですが、近代や現代でもその復活を意図する哲学者は、少なからず存在します。たとえば、「ドイツのアリストテ

レス」と呼ばれた**ヘーゲル***は、国家が個人や家族よりも優先される共同体であることを強調しました。また、現代ではNHKの「白熱教室」でおなじみの**マイケル・サンデル***も、個人的な**リベラリズム***を批判し、「共通善」といった国家共同体的な概念を称揚しています。

> アリストテレス：Basic 2 を参照
> ゲオルク・ヴィルヘルム・フリードリヒ・ヘーゲル：Basic 24 を参照
> マイケル・サンデル：Basic 34 を参照
> リベラリズム：リバタリアニズム（Basic 45）を参照

社会契約論と「社会」概念

　社会の成り立ちを考える時、近代になって多くの哲学者たちによって形成された理論があります。通常は「社会契約」説と呼ばれていますが、この言葉を使ったのはルソー*に限定されています。ホッブズ*、ロック*、ルソーと続きますが、内容はそれぞれ違っているので、誰の社会契約説なのか、注意する必要があります。

　共通した構造としては、個々人が独立自存して生活する「自然状態」を最初に想定することです。この状態から、人々が契約を結び、政府や国家を形成することになります。そのため、社会契約説というよりも、国家契約説と言った方がいい、と考える人もいます。

　しかし、この理論が社会契約論と呼ばれるのは、共同体から切り放された独立の個々人を出発点に据えることによって、近代的な「社会」概念が成立するからです。独立した個人が、契約を結んで、社会が形成されるわけです。

　自然状態をどう考えるかで、いろいろ考えが分かれます。たとえば、ホッブズの場合には、狼のイメージのもとで「万人の万人に対する闘争」が論じられます。こうした生命の危険を回避するために、人間は契約を取り結ぶ必要があるのです。

　ただし、契約によってでき上がる国家は強大なものになってしまい、空想上の怪物である「リヴァイアサン」と呼ばれます。

それに対して、ロックの場合には、自然状態は平和な状態ですが、個人に所有権が生まれると、それを守るために、契約が必要になるとされます。ロックでは、**自分の身体は自分のものであり、これを使い労働によって生み出されたものも、自分の所有になります。**この所有を侵害されないために、個人は契約を取り結ぶわけです。

　こうした社会契約説に異を唱えたのが、ロックから1世紀ほど後の**ヒューム***です。彼は、「自然状態」という考えを厳しく批判したのです。**契約によってはじめて「社会」が成り立つのではなく、契約以前から社会は存在している**のです。その原理となるのが、黙約（コンベンション）と呼ばれるものです。人々は明示的に契約する以前に、すでに慣習によって社会を形成しているわけです。こうして、社会は契約以前から成立することになりました。

　社会契約なのか、それとも黙約（慣習）なのか——この対立は、社会の起源の問題を考える時、その後にも形を変えてくりかえされています。たとえば、社会契約説と同じころにしばしば議論された言語起源説の問題でも、契約（約束）か黙約（慣習）かの対立が、基本的な枠組みとなっています。

Column

　社会契約論は、近代の哲学者たちの理論であるだけでなく、現代でも重要な考えが提出されています。その代表が、1971年に『正義論』を発表したアメリカの**ロールズ***です。彼の理論は、リベラリズムと呼ばれていますが、出発点としてそれぞれ独立し諸個人を前提しています。それぞれの自由な個人から、いかにして公正な社会を形成できるかが問われたのです。このためにロールズは、社会契約論の発想を利用しています。まず「原初状態」として、一つの仮想的な状況を設定するのです。それをロールズは、「無知のベール」と呼び、人々に目隠しをして、人々の地位や資産、能力といった個人情報を見えなく

するのです。というのも、それが分かってしまうと、個々人は自分に都合のいい選択を行なうからです。これを禁止したうえで、個々人が自由に選択して社会契約を行なおうとするわけです。

> ジャン゠ジャック・ルソー：Basic 70 を参照
> トマス・ホッブズ：16−17 世紀のイギリスの哲学者。主著として、『リヴァイアサン』が有名である。哲学的な立場としては、唯物論に立ち、デカルトの二元論を批判する。政治論では、社会契約論を唱えたが、「万人の万人に対する闘争」を自然状態と見なした。
> ジョン・ロック：Basic 7 を参照
> デイヴィッド・ヒューム：Basic 70 を参照
> ジョン・ロールズ：20−21 世紀のアメリカの哲学者。1971 年に発表した『正義論』で、リベラリズムを理論的に確立し、その後リベラリズム・ブームを形成した。その後、さまざまな論争が巻き起こるが、アメリカの政治理論を考える場合、リベラリズム抜きには議論できない。

人間は社会的諸関係のアンサンブル

　マルクス*が若いころに、自分の思想を築き上げる時にメモしたのが、この命題です。全体は、「フォイエルバッハにかんするテーゼ」と呼ばれる11のテーゼからなっています。エンゲルス*と共同で書いた『ドイツ・イデオロギー』の付録として、収録されています。前後を含め引用すると、次のようになります。

> 　フォイエルバッハは宗教の本質を人間の本質へと解消する。しかし、人間の本質とは、個々の個人の内部に宿る抽象物なのではない。それは、その現実の在り方においては、社会的諸関係の総体なのである。[2]

　このテーゼは、フォイエルバッハの『キリスト教の本質』を念頭において、書かれています。**フォイエルバッハによれば、キリスト教の神は、人間の本質（類としての本質）が疎外化されたもの**です。

　たとえば、人間性の理想を「全知全能」と考えれば、まさにそれを体現したのが「神」なのです。こうして、フォイエルバッハは、宗教の本質を人間本質へと引き戻し、人間学を構想しました。

　これに対して、マルクスは、フォイエルバッハが想定するような人間の本質が、個々の人間に内在するわけではない、と批判したのです。通常、本質という概念は、すべてのものに共通する抽象的な性質を指しま

すが、マルクスはその考えを最初から拒否しています。マルクスは、「人間の本質」が、フォイエルバッハによって主張される「愛」といった抽象物ではなく、人間間の具体的な諸関係に他ならない、と主張するからです。

この時、マルクスが「社会的」という言葉を使っているのに、注意しておく必要があります。マルクスは「市民社会」という語を「国家」と区別したヘーゲルにならって、社会の自立した分析を行なっています。こうした**社会における諸個人間の関係の総体が、個人の本質を形成する**わけです。

社会の中で個人がどう規定されるかを考える時、「イデオロギー」という概念に注目するのが役立ちます。これは、社会的な意識とも言われますが、人間が社会の中で取り結ぶ諸関係によって意識のあり方が変わるのです。

たとえば、現代の私たちは、自由や平等といった考えを、重要な原理と考えています。しかし、**自由にしても、平等にしても、資本主義社会の中で、商品をどう取り扱うかという現実から引き出されています。**

等価性（平等性）の原則の下で、商品を自由に交換することが、資本主義の原理です。この原理から、社会における人間の自由や平等という理念も形づくられています。

マルクスの主要なテーマは、現実社会の経済的な分析ですが、人間を理解するためにも、社会の分析が必須となったのです。

Column

マルクスのフォイエルバッハのテーゼは、短いだけでなく、その文章も簡潔で締まっていますので、いつのまにか覚えてしまいます。たとえば、「哲学者たちは世界をさまざまに解釈してきた。しかし、大切なことは、それを変えることだ！」。こうしたテーゼを読むと、なんとなく分かった気になりますが、ここに注意すべき罠もあります。と

いうのも、マルクスはここで、一般論として、「解釈すること」と「変革すること」の対比を語っているわけではないからです。この文章は、あくまでもフォイエルバッハにかんするもので、その文脈にもとづいて解釈や変革の意味を考えなくてはなりません。一般論として理解すれば、とんでもない誤解につながるでしょう。

> **カール・マルクス**：Basic 51 を参照
> **フリードリヒ・エンゲルス**：19 世紀のドイツ出身の革命家、社会思想家。マルクスとともに活動し、『共産党宣言』などを共同で起草し、共産主義理論に寄与した。

Part3 正解のない世界を生きる

最大多数の最大幸福は社会的に公正か？

　功利主義というと、日本では時々「エゴイズム」と誤解され、社会的な公正を求める理論であることが、忘れられがちです。しかし、提唱者であるベンサム*の主張を見ても、「エゴイズム」の真逆の主張であることが分かります。

　たとえば、よく知られた「最大多数の最大幸福」と言われる原理を考えてみましょう。ベンサムは次のように述べています。

　　功利性の原理とは、その利益が問題になっている人々の幸福を、増大させるように見えるか、それとも減少させるように見えるかの傾向によって、（中略）すべての行為を是認し、または否認する原理を意味する。[3]

　ここで想定されているのは、個人の問題というより、社会全体の幸福の量です。そのため、ベンサムが求めているのは、社会的な公正さであって、個人の利益でないことは、明らかでしょう。したがって、「功利主義」は、「社会全体の功利主義」と言うべきです。

　この観点は、会社や組織などで、どう意思決定すればいいかを考える時、有効な原理となります。利益が問題となる人々全体にとって、いちばん利益となるものを選択すればいいからです。

　功利主義の思想は、政治では「多数決」を支える原理にもなっていま

す。政治を民主主義的に進めるには、国民の多数の意思を尊重すべきであり、それを実現するのが「多数決」というわけです。

しかし、多数決の場合にも生じることですが、幸福の総量を原理とすると、「多数者の専制」に陥りやすいことです。この点については、同じ功利主義者でも、ジョン・スチュアート・ミル*は自覚がありました。彼は、「いかにして個人の独立と社会的統制とのあいだを適切に調整するか」と、『自由論』の中で問い直しています。それを示す例として、次のような思考実験が示されることがあります。

> テロリストが20人を人質にする。そのなかの一人に、他の人質の一人を殺すように命じられたとする。もし、その命令に応じなければ、全員を殺害すると言われた時、この命令に従うべきか？

命令に従えば、一人は亡くなるとしても、19人の命が助かります。逆に、命令に従わなかったら、20人全員の命が犠牲になるのです。だとすれば、功利性の原理からすれば、「人質の一人を殺せ」ということになりそうです。

しかし、これで問題が解決したようには感じられません。いったい何が問題なのか、また実際にはどうすべきかなどについて、それぞれ考えてはいかがでしょうか。

〉ジェレミー・ベンサム：Basic 33 を参照
〉ジョン・スチュアート・ミル：Basic 31 を参照

規律社会から管理社会へ

Basic87

　フランスのミシェル・フーコー*は、近代社会を「少数者が多数者を監視する」規律社会と捉え、その典型を監獄に見ました。彼によると、近代社会は、人々を一定の場所に集め、集団の中で規律訓練を施し、秩序を従順に守る人間を作り上げるとされます。たとえば、学校、会社、工場、軍隊、寄宿舎、病院など、さまざまな組織がありますが、ここではその行動が入念に監視され、やがて自分で自分を監視できるように仕立て上げるのです。

　こうした近代社会のモデルとしてフーコーが提示したのが、「パノプティコン」と呼ばれる施設です。この設計図は、功利主義者のベンサムが作成したのですが、最小の労力で最大の効果が得られるようになっています。

　中央の監視塔から、個室に配置された囚人たちがいつでも監視できるようになっていて、「pan（すべて）」と「opticon（見ること）」を組み合わせたもので、「一望監視施設」と訳されます。

　フーコーが理解した近代社会は、こうした「パノプティコン」社会だったのですが、これに対してドゥルーズ*は、現代では規律社会がすでに終了している、と見なしたのです。それに代わるものとして、提示されたのが「管理社会」という考えです。

図26 パノプティコン

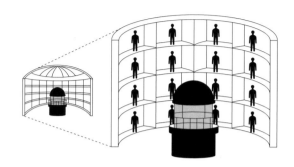

> 　私たちが「管理社会」の時代にさしかかったことはたしかで、いまの社会は厳密な意味で規律型とは呼べないものになりました。（中略）規律社会とは私たちにとって過去のものとなりつつある社会であり、もはや私たちの姿を映していない。(4)

　フーコーの場合、監視といっても、アナログなものですが、ドゥルーズによると現代の監視は、デジタル技術を使うのです。そのため、**個々人には、もはや規律が要求されず、いつでもどこでも行動が管理される**ことになるのです。

　ドゥルーズが管理社会論を提唱したのは、1990年代でしたが、その先見性には驚かされます。彼が予見したことが、現在まさに現実になっています。

Column

　フーコーは規律社会のモデルを感染症と関連づけ「ペスト型」と見なしました。人々を集団として監視し、それぞれに害のないような仕方で配置していくのです。監獄の独房に閉じ込めるようなものです。これに対して、ドゥルーズが提唱した管理社会は、感染症と関連づける

とすれば、「コロナ型」と呼ぶことができるでしょう。ドゥルーズが亡くなったのは、20世紀末ですから、COVID-19は経験していませんが、彼の議論は最近のコロナパンデミックに応用できます。人々を同じ場所に集めないで、個々バラバラに分散させ、デジタル情報によって管理するわけです。日本の場合、デジタル化が遅れて、コロナパンデミックが起こった時、右往左往しましたが、ドゥルーズの議論をもっと真剣に受け取って、準備しておくべきだったように思います。

〉ミシェル・フーコー：Basic 19 を参照
〉ジル・ドゥルーズ：Basic 3 を参照

他人の欲望を欲望する社会…承認欲望と模倣欲望

　承認欲望や模倣欲望と言えば、今日では心理学や社会学の問題と考えられるかもしれません。しかし、そうした欲望は、哲学において根本的に問われてきたものです。

　たとえば、18世紀末から19世紀はじめごろ、ドイツのフィヒテ*やヘーゲル*は、彼等の哲学原理として、「承認」概念を提示しています。こうした承認概念から、20世紀になって新たな可能性を引き出したのが、ロシアからフランスに亡命したコジェーヴ*でした。コジェーヴは、ヘーゲルが『精神現象学』で提示した「相互承認」という概念を、より具体的な形で捉え、それを承認欲望として理解したのです。コジェーヴにとって、人間の欲望は何よりも「承認欲望」として、理解すべきものでした。

　たとえば、私たちがブランド物を欲しがることを考えてみましょう。コジェーヴによれば、**その物そのものが欲しいというよりも、むしろそれをもつことで、他人から賞賛されたり、他人よりも上位に立ったりできるから**、つまり、他人から承認されることを欲望しているわけです。

　こうした承認への欲望を、現代の社会理論の中心に置いたのが、ドイツのアクセル・ホネット*です。彼は、**現代社会がかつてのような経済的貧富の差よりも、むしろ承認の有無の方に重要性を認めている**、と力説しています。実際、他人から承認されないことが、人間にきわめて深

刻な影響をおよぼすことは、現代では周知のことになっています。

　他方で、ルネ・ジラール*は、1961年に発表した『欲望の現象学』の中で、「欲望は、他者の欲望を模倣することだ」という命題を主張し、「欲望の三角形」を提示しました。

図27　欲望の三角形

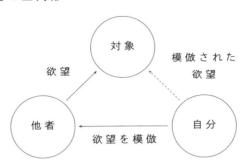

　流行現象のような社会の動きを見ると、他者の欲望を模倣することはいつでも確認することができます。ジラールはフランス出身ですが、第二次世界大戦後に渡米し、その後はアメリカで研究活動を続けました。アメリカのシリコンバレーの起業家であるピーター・ティールは、スタンフォード大学時代にジラールのもとで学び、大きな影響を受けています。彼は、この欲望論を肝に銘じて、ビジネスでは欲望の模倣に先立つように行動していたそうです。他者の欲望を模倣して、ブームに乗ったところで、利益を生み出すことはできません。むしろ、他の人から模倣されるように、つねに先を行くような経営を考えていたそうです。

　こう考えると、他者からの承認欲望と他者の欲望の模倣は、現代社会で大きな役割を演じているのが分かります。

Column

　コジェーヴは、もともとはロシア出身ですが、ロシア革命の後にドイ

ツへ亡命し、その後フランスへ再亡命します。フランスでは、1930年代にヘーゲルの『精神現象学』の講義を行ない、ラカンやメルロ=ポンティほか当時の若き哲学者たちがこぞって参加しました。その後のフランス哲学は、このコジェーヴのヘーゲル講義から出発している、とも言われています。この講義でコジェーヴが中心に置いたのは、ヘーゲルの「自己意識論」であり、この概念にもとづいて、「承認欲望」も主張されています。また、この自己意識論から、主人と奴隷の対立が生み出されるのですが、この対立の展開を「人間の歴史」として理解しました。そのため、この対立が解消された時が、歴史の終わりとされ、さらには人間の動物化であると理解されたのです。

> ヨハン・ゴットリープ・フィヒテ：18-19世紀のドイツの哲学者。カントの後を受け、シェリング・ヘーゲルとつづくドイツ観念論を展開した。主著である『全知識学の基礎』で、テーゼ・アンチテーゼ・ジンテーゼという論法を提示した。
> ゲオルク・ヴィルヘルム・フリードリヒ・ヘーゲル：Basic 24 を参照
> アレクサンドル・コジェーヴ：20世紀のロシア出身のフランスの哲学者。1930年代にヘーゲル講義を行ない、フランスの若き哲学者たちに大きな影響を与えた。
> アクセル・ホネット：20-21世紀のドイツの存命する哲学者。ヘーゲルから受け継いだ承認概念を中心に、社会哲学を展開している。
> ルネ・ジラール：20-21世紀のフランス出身の哲学者。長いあいだ、アメリカの大学で教鞭を執り、スタンフォード大学の教授の時は教え子にはピーター・ティールなどもいた。1961年に発表した『欲望の現象学』では、「模倣欲望」を解明し、注目された。

自由と平等のジレンマ（リベラル論争）

　現代の社会では、タテマエの上では自由と平等が基本的な原理となっています。そのため、憲法でも、自由と平等が保障されています。しかも、社会では「リベラル・デモクラシー」が政治原理とされて、「自由」と「平等」は一体的なものと扱われがちです。

　しかし、「自由」と「平等」は、そもそも両立可能なのでしょうか。たとえば自由を考えてみれば、人々の競争を原則的に認めますから、結果としては不平等が引き起こされることになります。逆に、平等を原則とすれば、自由に対して何らかの制限や禁止を設けなくてはなりません。自由と平等とは、必ずしも両立するわけではありません。

　この点は、現代アメリカの政治思想論争でも、印象的な形で再演されています。一方のリベラリズムの立場では、人々の自由を原理的には認めますが、結果として不平等が生み出されることを抑制します。そのため、公共の政府によって、恵まれない人々の救済が行なわれるのです。そのための原理が、「格差（是正）原理」と呼ばれます。こうした主張をしたのが、1971年に『正義論』を発表したロールズ*の思想です。

　この考えは、「リベラリズム*」と言いながら、「自由」一辺倒ではなく、「平等」にも配慮したものです。アメリカでは、ニューディールの時代以来、「リベラリズム」と言えば弱者救済の政策が伝統になっていました。ロールズは、これを明確な形で理論化したのです。

それに対して、アメリカでは自由至上主義と呼ばれる「リバタリアニズム*」の思想も、根づいています。これを理論化し、ロールズ流のリベラリズムに対抗したのが、**ロバート・ノージック*** です。彼は1974年に発表した『アナーキー・国家・ユートピア』の中で、「権限理論」を提唱し、盗みや暴力など違法な形で獲得されたものでなければ、たとえ不平等や貧困が発生したとしても、格差を是正する必要がないと考えました。この思想にもとづき、公共的な政府はできるだけ小さい方がよく、むしろいままで政府が行なってきたようなサービスは、できるかぎり私的な企業に任せた方がいい、と主張しました。

　このように、**平等を基礎とするリベラリズムか、それとも自由を徹底的に追求するリバタリアニズムか、──この二つは、20世紀アメリカの社会哲学を考える時、基本的な対立になっています。**

　こうした論争に対して、1980年代になると「共同体主義」と呼ばれるコミュニタリアニズム*が登場し、リベラリズムとリバタリアニズムの両方を批判するようになりました。コミュニタリアニズムによれば、二つの政治理論はともに個人を基礎に据えており、共同体の役割を過小評価している、とされます。

Column

アメリカ哲学の歴史について、大きな流れを確認しておきます。19世紀末に、アメリカでは**パースやジェイムズ**を中心に**プラグマティズム*** が形成され、その後**デューイ**も加わって、アメリカ土着の思想のように定着しました。それから、1930年代になると、ヨーロッパから亡命した哲学者たちによって、分析哲学の伝統が定着しました。分析哲学は論理学や数学などを基礎にして、厳密な哲学理論を構築すると同時に、客観的な教育システムを生み出し、プラグマティズムに代わるアメリカ伝統の哲学と見なされるようになりました。ヨーロッパ発の哲学でありながら、アメリカで発展するようになったのです。こ

の伝統は科学哲学として継続していますが、1970年代になるとプラ
グマティズムが新たな形で復活するようになりました。

> ジョン・ロールズ：Basic 84 を参照
> リベラリズム：Basic 45 のリバタリアニズムを参照
> リバタリアニズム：Basic 45 を参照
> ロバート・ノージック：Basic 45 を参照
> コミュニタリアニズム：1980年代以降、アメリカでリベラリズムに対抗する形で
　 提唱された政治哲学の立場。個人に先立つ共同体の役割を強調し、リベラリズムを
　 批判した。チャールズ・テイラーやマイケル・サンデルなどが代表者。
> プラグマティズム：Basic 25 を参照

現実は社会的に構築される

　人間の性差を表わす言葉として、最近とみに強調されるようになったのが、「ジェンダー」です。いままで、性差と言えば、たいてい生物学的に決定され、「男か女か」という対比で理解されてきました。ところが、この生物学的な概念に、異論が唱えられるようになったのです。

　現代アメリカの哲学者であるジュディス・バトラー*は、1990年に出版した『ジェンダー・トラブル』という本の中で、生物学的で身体的な「セックス」という概念に異を唱え、次のように語っています。

　　おそらく、「セックス」と呼ばれるこの構築物こそ、ジェンダーと同様に、社会的に構築されたものである。実際おそらくセックスは、つねにすでにジェンダーなのだ。そしてその結果として、セックスとジェンダーの区別は、結局、区別などではないということになる。(5)

　こうした考えは、一般に「社会構築主義」と呼ばれています。これによると、どんな現実も、社会的に構築されたものであり、この制限を出ることはできないのです。したがって、社会的な性差である「ジェンダー」はもちろんのこと、生物学的な性差である「セックス」でさえも、社会的に構築されている、と言えるのです。社会とは一見無関係に見える生物学的な性差であっても、社会的に構築されていると言われます。

　この考えを根本的に理解するために、ジョン・サール*が1995年に出版した『社会的現実の構成』の概念を使ってみましょう。たとえば、カフェに入って、千円の代金を払う場面を想像してみます。この場合、硬い表現で言えば、「印刷された紙きれを、日本の通貨と見なして」います。一般的に言えば、「X（紙切れ）をC（慣習）のもとでY（紙幣）と見なす」わけです。これをサールは「地位機能」と呼んでいます。何気ないカフェでのやり取りでさえも、社会的に構成されたものであり、これを無視すれば、現実が成り立たないのです。実際、千円札を紙幣と知らない人には、このやり取りは不可能です。

　私たちは、生まれた時から一定の社会の中で生活しています。その中で出会うものや人々は、たいてい「XをCにおいてYと見なす」という形で理解されています。この構造を、「社会的な構築」と呼ぶとすれば、その範囲がいかに広大であるかが分かるでしょう。

Column

　サールが「地位機能」として使った概念は、「意味」という概念を説明するために、しばしば語られてきました。たとえば、**ハイデガー***は1927年に発表した『存在と時間』の中で、「として（als）構造」という表現で語っています。たとえば、目の前の丸い板を見て、テーブルとして理解する、という具合です。つまり、「XをAとして理解する」わけです。そして、このAが「意味」と呼ばれるものです。この時、意味は所与のものよりも「より以上」のものと理解されています。つまり、単なる「丸い板」以上の何か、としてテーブルのという意味が理解されるわけです。この時、ハイデガーは「als」という言葉が、「として」と同時に「〜以上」という二義性をもつことを利用しています。その点は別にしても、私たちが何かを理解する時、つねに意味もまた理解していることは、確認しておく必要があります。

> ジュディス・バトラー：20-21世紀のアメリカの存命する哲学者。とくにフェミニズム思想を代表する哲学者であり、著作としては1990年に発表された『ジェンダー・トラブル』が有名。
> ジョン・サール：19-20世紀の存命するアメリカの哲学者。言語哲学や心の哲学を専門として、AIに対する議論として、「中国語の部屋」という思考実験を考案して、「弱いAI」の立場を主張した。2004年に発表された『マインド』はサール哲学の入門書。
> マルティン・ハイデガー：Basic 10を参照

アンガージュマン（社会参加）は何のために

　哲学と言えば、一般には「象牙の塔」のイメージが強いかもしれませんが、古代ギリシア時代から社会や政治との結びつきは弱いわけではありません。ソクラテスが哲学の言動によって死刑に処せられ、プラトンが哲人王を構想したのは有名ですが、多くの哲学者は社会に対して積極的にかかわってきました。

　20世紀では、ドイツの哲学者である**マルティン・ハイデガー***は、ナチスに加担したことで批判され、フランスの**サルトル***は、戦後に哲学の社会的責任を強調しました。二人は、同じ「実存」という概念に依拠しながら、違った方向から社会にかかわっています。しかし、どうして、哲学は社会と積極的にかかわる必要があるのでしょうか。

　サルトルが提示した「アンガージュマン」の思想を確認しておきましょう。サルトルの実存主義*が、世界的に大流行した時、公的なメディアで発言したり、デモに参加したりする姿が、しばしば伝えられました。「闘う哲学者」というイメージです。この時サルトルは「アンガージュマン」という概念を力説しています。たいていカタカナでそのまま使われたのですが、意味は何だったのでしょうか。

　もとになったフランス語は、英語の「engage, engagement」と共通ですが、サルトルはこれによって、社会的な参加と同時に、社会によって拘束されることも表現したのです。卑近なことを言えば、誰かと「結

婚する（engage）」することは、その状況を引き受け、その約束に拘束されることを意味しています。**社会に参加することは、その状況を引き受けて、それに拘束されることです。**こうした状況の中で、いかなる選択をするのか、サルトルの実存主義は問うのです。

　サルトルは、1945年に発表した『実存主義とは何か』の中で、面白い事例を紹介しています。第二次大戦中、フランスがドイツ軍によって占領されていた時の話です。その時サルトルはリセの教師をしていたのですが、年老いた母親と二人暮らしをしていた生徒がいたそうです。その生徒が、レジスタンスに参加するか迷って、サルトルのもとに相談に来ました。

　この生徒がレジスタンスに参加すれば、年老いた母親と離れて暮らすことになります。もし、母親とこのまま暮らし続けようとすれば、レジスタンスへの参加は断念しなくてはなりません。さて、どちらを選んだらいいのか？　生徒はサルトルにアドバイスを求めたのです。

　この生徒に、サルトルはなんと答えたのでしょうか。サルトルの思想は実存主義ですが、これによれば、人間は自分のあり方を自由に決定しなくてはなりません。そして、その決定によって生じる状況を、自ら引き受けなくてはならいのです。誰も、その決定の肩代わりをする人はいません。こうして、サルトルは、生徒に次のように語るのです。

　　君は自由だ。選びたまえ。つまり創りたまえ。[6]

　教師の立場からすると、生徒にアドバイスをする方がよいように感じますが、実存主義の考えでは、自分の決定は自分以外にできないのです。それとともに、それによって生じる状況を全面的に引き受ける責任もあります。こう考えると、自由にしても、社会参加にしても、孤独で厳しいものだと分かります。相談したところで、結局は自分で決定し、責任を負う以外にないからです。

Column

　サルトルの実存主義は、第二次世界大戦後世界中で大流行しました。
そのため、サルトルはマスメディアに登場し、サルトルの思想だけで
なく、その個人的生活にも注目が集まりました。その中で有名になっ
たのが、同じ哲学者のボーヴォワールとの「契約結婚」という形態で
した。この形態は、二人の自由を束縛することなく、他の人物との自
由な恋愛をも認める契約で、サルトルの思想には合致していました。
このライフスタイルは、瞬く間に世界中に広がり、結婚制度に縛ら
ずに、同棲のような形で共同生活する人々が多くなりました。いかに
も実存主義者らしい態度だと見られていましたが、内実はけっこうド
ロドロしていたようです。それでも、哲学がライフスタイルと結びつ
くことを示した点で、サルトルは哲学者の一つの典型を示したと言え
ます。

> マルティン・ハイデガー：Basic 10 を参照
> ジャン゠ポール・サルトル：Basic 44 を参照
> 実存主義：Basic 4 を参照

歴史
History

歴史をどう生きるのか

　ヘロドトス『歴史』やツキジデス『戦史』以来、歴史書は少なからず書かれています。ところが、哲学では、およそ18世紀にいたるまで、若干の例外はありましたが、「歴史」に対する関心は、全体としてきわめて低かったと言えます。

　たとえば、万学の祖と言われる**アリストテレス***にも「歴史」にかんする著作はありませんし、歴史記述に対する評価も、高いわけではありません。また、近代になると、数学的な自然科学が高く評価されるのに対して、歴史に対しては愚かな人間の仕業のように見られています。近代の啓蒙主義は、人間理性を高く評価するものですから、非合理的に見える歴史的世界は、哲学のテーマとしてはふさわしくないと考えられたのです。

　こうした哲学の主流に対して、歴史を高く評価する哲学者たちも、皆無だったわけではありません。それがイタリアのヴィーコ*やドイツのヘルダー*などです。彼らは、デカルト以来の合理主義の伝統に反旗を翻し、自然科学よりも歴史研究を学問として重視したのです。

　「歴史」に対する哲学の態度が、大きく変わったのは、18世紀から19世紀の転換期に活動した、ドイツのヘーゲル*からと言えます。彼は、「歴史哲学」や「哲学史」を講義で取り扱い、その後の流れに大きな影響を与えました。彼の歴史観に賛成するにせよ、反対するにせよ、ヘーゲル以後に「歴史」が哲学のテーマとなったのは否定できません。

　20世紀になって、「歴史」に対する哲学の関心は、歴史そのものから、それを記述する歴史家、あるいは歴史学へと移っていきます。というのも、「歴史」は、歴史家がそれをどう書くかによって、大きく変わってくるからです。歴史家を抜きにして、歴史を論じることができないのです。こうして、歴史の位置づけについても、大きく変わってきたのです。

　このように考えると、「歴史」の見方は哲学の基本的な展開に沿うような形で、変わってきたことが分かります。今日では、かつてのように「歴史」を無視して哲学を理解できなくなりましたが、今度は逆に「歴史」によって哲学の役割が問われるようになりました。

＞アリストテレス：Basic 2 を参照
＞ジャンバッティスタ・ヴィーコ：Basic 76 を参照
＞ヨハン・ゴットフリート・ヘルダー：18–19 世紀のドイツの哲学者。カントと同時代であるが、カントとは違って言語論や歴史哲学に興味をもった。1772 年の『言語起源論』や 1774 年の『人間性形成のための歴史哲学異説』は、よく特徴が表われている。
＞ゲオルク・ヴィルヘルム・フリードリヒ・ヘーゲル：Basic 24 を参照

クレオパトラの鼻が、もう少し低かったら

　パスカル＊の『パンセ』の文章で、日本で有名なものがあります。それは一般には、次のように表現されています。「クレオパトラの鼻が、もう少し低かったならば、歴史は変わっていたであろう」。しかし、この文言には注意が必要です。というのも、パスカルの原文とは、少し違っているからです。

> 　クレオパトラの鼻。それがもっと短かったなら、大地全表面は変わっていただろう。(1)

　以前からよく言われたことですが、パスカルにとって鼻が低いことは想定にはなく、「もっと短い」かどうかがポイントになっています。しかし、ここで問題にしたいのは、その点ではありません。後半部分に、「歴史が変わっていた」とされる言葉がないことです。彼が語ったのは、大地の様相（地上の状況）が変わることです。

　注意したいのは、『パンセ』に「歴史」意識があったのかどうかという問題なのです。というのは、有力なパスカル解釈として、「歴史なきパスカル」という理解があるからです。実際、『パンセ』を読んでみると、「歴史」はテーマになっていないように見えます。

　あらためて考えてみれば、パスカルは数学者であり自然科学者ですか

ら、彼が歴史に興味をもたなかったとしても、不思議ではありません。歴史が大きな問題として自覚されるのは、もっと後の時代になってからです。これに対して、「宇宙」に対する言及は少なくありません。

では、パスカルは「クレオパトラの鼻」で何を主張したかったのでしょうか。それは、「人間の空しさ」です。この断章では、「恋愛の原因と結果をよく眺めてみる」というのが、この主張の導入となっています。

鼻の長さがわずかに異なるだけで、全世界が変わってしまうこと——これはなんと空しいことか、というわけです。鼻の長さが少し違っただけで、世の中の出来事が大きく変わってしまうのです。

この時、パスカルの念頭に歴史的な変化の意識はなかったと言うべきでしょう。一方で、**デカルト***のような合理主義を厳しく批判しています（「私はデカルトを許せない！」）。しかし、パスカルのデカルト批判は、自然科学や数学とは違う歴史研究へと向かわせたわけではなかったのです。有名になった文言も、オリジナルを見てみると、違った理解が生まれます。

Column

『パンセ』の最も有名な断章は、おそらく「考える葦」と呼ばれるものではないでしょうか。この部分を読んでみると、パスカルの念頭にあるのが、自然や宇宙であって、歴史ではないことが分かります。

「人間はひとくきの葦にすぎない。自然の中で最も弱いものである。だが、それは考える葦である。彼をおしつぶすために、宇宙全体が武装するには及ばない。蒸気や一滴の水でも彼を殺すのに十分である。だが、たとい宇宙が彼をおしつぶしても、人間は彼を殺すものより尊いだろう。なぜなら、彼は自分が死ぬことと、宇宙の自分に対する優勢とを知っているからである。宇宙は何も知らない。」[1]

> **ブレーズ・パスカル**：Basic 9 を参照
> **デカルト**：Basic 12 を参照

自由の意識の前進

「歴史」を哲学のテーマとし、歴史哲学をはじめたのはドイツの**ヘーゲル***です。ヘーゲル哲学に対しては批判も多いのですが、歴史を哲学に導入した点では、注目しておく必要があります。

　彼の哲学の原理となるのは「精神Geist」と呼ばれ、これには冠として、個人を超えたさまざまな言葉がつけられます。民族精神、時代精神、世界精神、客観的精神といった具合に。こうした「（大）精神」の最たるものが、歴史を一つながりのものとして展開することになります。そうした歴史を、ヘーゲルは「自由の発展史」と見ています。

> 　精神の実体ないし本質は自由である。（中略）世界の歴史とは、精神が本来の自己をしだいに正確に知っていく過程を叙述するものだ。（中略）世界史とは自由の意識が前進していく過程であり、（わたしたちは）その過程の必然性を認識しなければなりません。（中略）
>
> 　東洋人はひとりが自由だと知るだけであり、ギリシャとローマの世界は特定の人びとが自由だと知り、わたしたちゲルマン人はすべての人間が人間それ自体として自由だと知っている。(2)

　こうした歴史理解を読むと、人類全体の歴史の方向性が示されているのが分かります。しかし、いまでは、西洋中心主義的な偏見やかなり楽

天的な歴史観のように感じるかもしれません。

　彼が提示するのは、理想主義的な歴史観ではなく、むしろ現実に根差したリアリスティックな歴史観です。たとえば、ヘーゲルは歴史を、「民族の幸福や国家の知恵や個人の徳を犠牲に供する屠殺台」と呼んでいます。個人の情熱や利害、理不尽な暴力などを通して、歴史が進んでいくからです。こうした個人の無分別な行為を通して、歴史の目的が実現されていくこと、これが有名な「理性の詭計*」という考えです。

　こうした現実主義は、戦争と平和にかんする議論にも、色濃く登場しています。先輩のカントが『永遠平和のために』において、国際協調にもとづく平和主義を提唱したのに対して、国家間の争いに「戦争」をも肯定したのです。

　ヘーゲルの歴史観を示すものとして、次の命題がよく知られています。「理性的なものは現実的であり、現実的なものは理性的である」これは、ヘーゲル哲学の保守性を示すものとして、エンゲルスによって批判の的になってきました。というのも、現在（現実的なもの）を理にかなったもの（理性的）と是認した、と理解されたからです。ヘーゲルはベルリン大学の総長として、プロイセン国家の御用哲学者だ、と見なされたのです。しかし、エンゲルスはヘーゲルを批判する時、意図的に命題の順番を変えています。彼は、「現実的なものは理性的であり、理性的なものは現実的である」という形にです。しかし、このスリカエは、ヘーゲルの文言を曲解するものでしかありません。ヘーゲルにとって、「理性的なもの（理にかなったもの）」は、歴史的に必然的なもので、だからこそ「現実的（実現する）」だからです。これは、偶然的な現実を擁護するものではありません。

＞ゲオルク・ヴィルヘルム・フリードリヒ・ヘーゲル：Basic 24 を参照
＞**理性の詭計**：哲学者ヘーゲルが提唱した用語。歴史において、個々の人々の活動を通じて、理性の意図を実現させること。

これまでのすべての社会の歴史は階級闘争の歴史？

「精神」にもとづく**ヘーゲル**＊の歴史観に対して、**マルクス**＊は物質的な経済関係を土台にした新たな歴史観を提唱しました。一般には「唯物史観（唯物論的歴史観）」と呼ばれています。『共産党宣言』で、「これまでの社会のすべての歴史は階級闘争の歴史である」と力強く語られています。この時、具体的にどんな歴史が考えられているのでしょうか。

『資本論』の準備として出版した『経済学批判』（1859）の中で、マルクスは一般に「唯物史観の公式」と呼ばれる考えを、簡潔に提示しています。それによると、歴史的変化は次のように考えられています。

> 大まかに言えば、アジア的、古典古代的、封建的および近代市民（ブルジョア）的な生産様式が、経済的な社会構成のなかに累積してきた時代としてあげることができる。市民社会的生産関係は社会的生産過程の最後の対立的な形態である。（中略）だがしかし、市民社会の胎内で発展しつつある生産力は、同時に、この対立を解決するための物質的条件をも創りだす。したがって、この社会構成とともに人間社会の前史が幕を閉じるのである。[3]
> （引用者訳）

精神の自由か、物質的な生産か、と言う違いがあるとしても、歴史が一つの発展史として見なされているのは共通しています。しかも、東洋

（アジア）からはじまり、ヨーロッパ世界で終わるのも変わりがありません。その点では、マルクスもまた、ヘーゲルと同じように西洋中心主義に立っていたと言えるかもしれません。

　注目したいのは、ここで描いた歴史を、マルクスが「人間社会の前史（Vorgeschichte）」と見なしていることです。この言葉は、いままでの社会があくまでも予備的な歴史（先史）であって、本当の「歴史」がこの後にはじめて訪れることを暗示しています。

　この表現をそのまま受け取れば、人間の「歴史」はまだはじまっていない、と言うべきかもしれません。これまでの歴史は、言ってみれば「歴史」に先立つものであり、歴史以前と表現できます。しかし、そうなると先史が終わった後ではじまる本当の「歴史」は、何を原理としているのでしょうか。

　もともと、先史の後の社会がどんなものか、マルクスはあまり描いていませんが、おそらく「社会主義」ないし「共産主義」となるはずです。しかし、その時どんな歴史がはじまるのか、ほとんどイメージできません。少なくとも、歴史上現われた「社会主義」が、そうしたイメージとかけ離れているのは、たしかだからです。とすれば、本当の歴史は、いつまでたっても訪れないかもしれません。

Column

　ヘーゲルもマルクスも、歴史を考える時、一つの歴史として段階的に捉えています。また、西洋を歴史の頂点に置く点でも、共通しています。これに対して、20世紀にはいって『西洋の没落』を発表したドイツのシュペングラー*は、文明論的観点から段階論的な歴史観を退けています。それによれば、アジア的な世界と、ギリシア・ローマ的世界、また一神教的世界と、西ヨーロッパ世界は、それぞれ違った文明として理解すべきで、ただ一つの歴史にまとめられないのです。シュペングラーの歴史観は、20世紀前半には衝撃をもって迎えられ

ましたが、あらためて検討する必要がありそうです。

> **ゲオルク・ヴィルヘルム・フリードリヒ・ヘーゲル**：Basic 24 を参照
> **カール・マルクス**：Basic 51 を参照
> **オスヴァルト・シュペングラー**：19-20 世紀のドイツの歴史哲学者。1918、22
> 年に発表した『西洋の没落』がベストセラーになり、西洋の危機がさかんに問題となった。

すべての歴史は現代史である

「歴史」と言えば、一般に、過去の出来事の記述だと見なされています。しかし、過ぎ去った過去の出来事に、どうして関心をもったり、評価したりするのでしょうか。また、同じ時代を描いていても、歴史家ごとに取り上げる事件や人物が違ったりするのは、なぜなのでしょうか。

こうした疑問に対して、イタリアの哲学者**クローチェ***は、すべての歴史は「現代史」である、と宣言しています。クローチェは『歴史の理論と歴史』の中で、次のように語っています。

> 現在の生の関心のみこそが人を動かして過去の事実を知ろうとさせることができるということは明らかである。したがってこの過去の事実は、それが現在の生の関心と一致結合されている限りにおいて、過去の関心にではなく現在の関心に答えるのである。このことは、多くの歴史家の経験的方式の中にさまざまの仕方において、いくたびかいわれてもいる。(4)

この考えを受けて、歴史家の**E. H. カー***は、こう説明しています。

> その意味するところは、もともと、歴史というのは現在の眼を通して、現在の問題に照らして過去を見るところに成り立つものであり、歴史家の仕事は記録することではなく、評価することである、歴史家が評価しない

としたら、どうして彼は何が記録に値するかを知りえるのか、というのです。[5]

　19世紀に、**ヘーゲル***が歴史哲学を講義していた時も、「事実そのままの歴史」と「反省をくわえた歴史」と「哲学的な歴史」とが区別されていました。たしかに、歴史の素材は過去の事実ですが、事実がそのままで歴史になるわけではありません。膨大な事実のなかから、いくつかの事実を取り出して、「歴史」として再構成する人物が必要なのです。その対立が分かるように、いままでの「歴史」理解と、クローチェが打ち出した「歴史」理解を図示しておくことにしましょう。

図28　二つの「歴史」理解

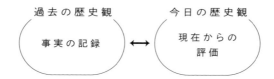

　こうした歴史の見方の変化は、哲学そのものの変化と軌を一にしています。20世紀には、解釈する主観の働きが強調されるようになりましたが、それによって歴史もまた解釈によって再構成されることが主張されるわけです。

　この変化は、主観による構成を強調することによって、歴史のもっていた客観性が、もしかしたら危うくなるかもしれません。その結果、どの歴史が正しいのか、決められなくなります。

Column

クローチェの哲学は、第二次世界大戦前には日本でも研究され、ヘーゲルやマルクス主義との関係でも、しばしば論じられました。また、彼の哲学がイタリアのファシズムの時期でもあり、ファシズムに対するクローチェの関係も問題になりました。しかし、戦後になると、そ

の関心も薄れ、文庫版で出版された『歴史の理論と歴史』も、アップデートされないままです。しかし、同じイタリアのヴィーコとの関係や、現代イタリア哲学の重要性から考えても、再検討・再評価する必要があります。

> ベネデット・クローチェ：Basic 76 を参照
> E. H.（エドワード・ハレット）カー：20世紀のイギリスの歴史家、国際政治学者。多数の著書があるが、とくに 1961 年に発表した『歴史とは何か』はしばしば参照されている。
> ゲオルク・ヴィルヘルム・フリードリヒ・ヘーゲル：Basic 24 を参照

系譜学は歴史の起源の卑しさを暴露する

　従来から歴史学の一部門であったものに、新たな意味を与え、哲学の重要な方法となしたもの、それが「系譜学 (Genealogie)」です。

　その立役者はドイツの哲学者ニーチェ*ですが、日本では「系譜学」の意義が必ずしも十分理解されていなかったのです。そのため、ニーチェの『道徳の系譜学』という書物は、以前は『道徳の系譜』と訳され、「系譜学」という学問への意識が少なかったのです。

　ニーチェ以前は、「系譜学」と言えば、王や貴族たちの家系を調べる学問のように思われていました。古くは、ギリシア神話や聖書のなかにも、こうした系譜調べは行なわれています。日本でも、系図をつくり、源氏や平氏、さらには豪族や天皇家とのつながりを誇示する人は少なくありません。

　こうした系譜学は、一般には有力な人々が、すばらしい起源にまでさかのぼり、自分たちの権威を称揚するために行なうものです。「現在の自分たちは、こんなに偉大な家系の出身だ」というわけです。それに対して、ニーチェは「系譜学」の意義を完全に逆転させたのです。

　ニーチェはむしろ、現在は権威づけられ、尊重すべきものとされたものに対して、その系譜をたどり、その起源が卑しいもの、唾棄すべきものであることを明らかにしたのです。たとえば、「道徳」は今日、人間であれば守るべき貴重な価値のように見なされていますが、その起源は

力のない弱者たちの逆恨み・ジェラシーに他ならないと示したのです。

　強者に対して、本来は力で勝負すべきなのに、勝ち目がないので、みんなで集まって強者を引きずり降ろそうとするわけです。これをニーチェは「畜群本能」と呼び、弱者たちの逆恨みを「ルサンチマン」と名づけています。

　こうして、すばらしいとされる「道徳」は、弱者たちの薄汚い「ルサンチマン」から生まれたことが、明らかになりました。

　このように、過去の栄光によって現在の権威を正当化する従来の「系譜学」に対して、むしろ過去の隠された卑しい起源を暴露することで、現在の権威を失墜させようとすること、これがニーチェの「系譜学」です。その点で、ニーチェの「系譜学」は批判の機能をもっています。

　こうした形で系譜学を展開するのは、ニーチェだけでなく、**マルクス**＊や**フロイト**＊にもあります。ただし、彼等はニーチェのように「系譜学」という用語を使い分けているのではありません。

　ニーチェの「系譜学」に注目し、それを「考古学（アルケオロジー）」として引き継いだのが、フランスの哲学者**フーコー**＊です。彼は、1971年の論文「ニーチェ、系譜学、歴史」の中で、次のように語っています。

> 　歴史はまた、起源をおごそかに祭りあげるのを笑うことを教えてくれる。（中略）ものはそもそもの始めにはその完全な状態にあったとひとは信じたがる。（中略）しかし歴史の始まりは低いものである。というのは鳩の歩みのようにつつましやかで控え目だという意味ではなく、嘲弄的で、皮肉で、あらゆる自惚れをうちこわすようなものだということである。(6)

　フーコーの考古学によって、ニーチェの系譜学の意義が再発見され、その新たな可能性が広げられました。

「ルサンチマン」というフランス語を、弱者の逆恨みとして理解し、道徳の起源に置いたのはニーチェですが、ドイツの哲学者シェーラー*は、この構想を受けて独自のルサンチマン論を展開しました。ニーチェの場合、ルサンチマンの起源をキリスト教に見たのですが、シェーラーはむしろ近代市民社会のうちにルサンチマンの起源を見ました。シェーラーによれば、近代市民社会では公的な領域において人々の平等性が原則とされながら、現実としては人々の違いが生み出されています。この状況が、人々のルサンチマン感情を引き起こすのです。社会的な分析としては、納得できる理解ですが、ニーチェのような強烈さがないのが残念です。

> フリードリヒ・ニーチェ：Basic 9 を参照
> カール・マルクス：Basic 51 を参照
> ジークムント・フロイト：Basic 14 を参照
> ミシェル・フーコー：Basic 19 を参照
> マックス・シェーラー：Basic 11 を参照

歴史的解体から脱構築へ

　20世紀において、「歴史」を強く意識した哲学者と言えば、まずはドイツのハイデガー*を挙げる人が多いと思います。

　彼の主著『存在と時間』（1927）は、「現存在」と呼ばれる人間を通して、哲学の伝統的な問題である存在論を革新しようとするのですが、そのいずれにも「歴史」が大きくかかわっているのです。

　まず、人間をハイデガーは、時間の観点から理解しています。というのも、人間はつねに、過去―現在―未来という時間の流れの中で、理解し行動するからです。もっとも、この三つの時間様態は、いつも同じ役割で働くわけでなく、どれか一つの様態が支配的になります。それに応じて、人間のあり方も変わってきます。

　こうした人間の時間的なあり方を、人々の集団として捉えると、人間の歴史的なあり方が見えてきます。時間的に生きる人間が、他の人々との関係において、どう生きていくのか、ここに「歴史」が問われる理由があるのです。人間は、時間的であるだけでなく、歴史的でもあります。

　他方でハイデガーは、存在論を理解する時も、「歴史」に大きな役割を与えています。というのも、彼が哲学的に解明する問題が、過去において隠蔽され、歪曲されてきたからです。そのために、ハイデガーは「存在論の歴史的解体」を提唱して、次のように書いています。

存在問題自身にとってはこの問題の固有の歴史の見通しが獲得されるべきであるのだが、そのときには、硬化した伝統を解きゆるめ、そうした伝統によってなしとげられた隠蔽を解きほぐすことが必要である。この課題をわれわれは、存在問題を手引きとして、古代存在論から伝承された破壊を遂行することだと解する。[7]

ここでハイデガーが「解体（Destruktion）」と呼んだもの、それをデリダ*がフランス語で「脱構築（déconstruction）」と表現しました。「脱構築」というと、まったく新奇な言葉のように感じますが、実はハイデガーが「解体」と呼んだものを言いかえたものです。その時問題となるのは、何が解体され、何が構築されるかです。

デリダによれば、脱構築では、二項対立のもとで暴力的に形成された「階層秩序」が解体されます。たとえば、男性―女性、西洋―非西洋、真面目―遊び、オリジナル―コピーなど、いろいろ例が浮かびます。この中で一方が支配し、他方が従属するという階層秩序が形成されてきたのです。

そこで、この秩序を転倒させることが、「脱構築」の第一歩になります。そのためデリダは、古代ギリシア以来続いてきた「西洋中心主義」や「男性中心主義」を強く批判するわけです。

しかし、単純な逆転では、必ずしも問題の解決にはなりません。そのため、脱構築には少し複雑な仕掛けが必要になります。この点は、確認しておく必要があります。

Column

脱構築のやり方をもう少し説明します。そのために、オリジナルとコピーという二項対立を考えてみましょう。いままでは、オリジナルが価値あるものとされ、コピーは悪いものとされています。たとえば、コピペを禁止する時も、同じ理由にもとづいています。では、この二

項対立をどうすれば脱構築できるのでしょうか。デリダのやり方は、オリジナルとされたものそのものが、実はコピーされたものであることを暴露します。しかし、これで話は終わりません。そのコピーとされたもののオリジナルもまた、他のもののコピーだからです。こうして、コピーの連鎖が続いていきます。この時、オリジナルそのものは、どこかにあるのでしょうか。

> マルティン・ハイデガー：Basic 10 を参照
> ジャック・デリダ：20-21 世紀のフランスの哲学者。「脱構築」という方法によって、プラトン以来の形而上学の転換を図り、ポスト構造主義と呼ばれる哲学を展開した。1967 年に発表した『グラマトロジーについて』をはじめ、多くの著書があり、現代思想を代表する哲学者とされている。

歴史（History）は物語（Story）か？

「歴史」と「物語」という漢字を見ても、二つの関連性はなかなか分かりませんが、英語（historyとstory）にしてみると共通性が透かし見えてきます。それもそのはずで、ともにギリシア語の「ヒストリア（historia）」に由来し、その後分化していったからです。フランス語やイタリア語、スペイン語などでは現在でも、同じ言葉が当てられていて、区別されていません。

「歴史」と「物語」のつながりは、漠然とした形ではイメージできます。歴史の対象となる過去の事実は、無数にあってそのままでは何の脈絡もないように見えます。そのため、いくつかの出来事をピックアップし、つながりを見つけることが必要になります。これは言いかえると、出来事のなかから物語を作り出すことと表現できます。多様な事実は、「物語」へと組み立てることによって、「歴史」として理解できるわけです。

こうした歴史＝物語という観点を精力的に打ち出したのが、**アーサー・ダントー**[*]です。たとえば、次のように語っています。

> 歴史における物語の役割はいまや明白であろう。それらは変化を説明するのに用いられ、ことに特徴的なのは、個々人の生とのつながりからみればしばしばはるかに長い期間にわたって生じる、大規模な変化を説明するために用いられるのである。こうした変化を顕在化させ過去を時間的全体

に組織化すること、なにが起こったかが変化によって語られると同時に、それらの変化を説明すること（中略）それが歴史の仕事である。[8]

いままで、「歴史」とはすでに起こった事実を客観的に記述することだ、と見られてきました。ところが、ダントーは<u>「歴史」の語源を活かしながら、歴史家の「解釈」によって創作された「物語」として理解し</u>たのです。これは、「歴史」の見方に対する根本的な変換と言えるでしょう。

こうした考えは、以前にもまったくなかったわけではありません。というのも、事実としての歴史と、文書に記述された歴史は、区別されていたからです。しかし、今日の「歴史＝物語」論は、もっと徹底的なところまで主張することになります。というのは、「事実としての歴史」でさえも、すでに一定の選択が介入し、解釈されているからです。そのため、すべては解釈された歴史のみであり、結局「事実としての歴史」なるものは存在しない、となります。こうして、多様に解釈された「歴史」が乱立することになるのです。このような歴史理解は、ダイバーシティを重視する現代にマッチしていますが、歴史の客観性をどう担保するのかが、あらためて問われることになるでしょう。

Column

「歴史＝物語論」という考えは、20世紀後半に流行した<u>ポストモダニズム</u>*の歴史学版と、しばしば見なされています。たとえば、この考えを徹底的に推し進めたアメリカの<u>ヘイドン・ホワイト</u>*が、1973年に公刊した『メタヒストリー』について、日本語版解説では次のように言っています。

「ホワイトの説に従うかぎり、その帰結として、歴史を語るものは、正しく把握された実在の認識に関与できないことになってしまう、という批判〔が生じてくる〕…。ここからして早々に『メタヒストリー』

とは真偽決定を不可能にする典型的なポストモダンの言説であり、無
責任で危険な相対主義の主張であると決めつけられた。「相対主義」
は『メタヒストリー』を外在的に攻撃する場合の代表的なレッテルで
ある」

> **アーサー・ダントー**：20-21世紀のアメリカの美術評論家・哲学者。歴史哲学で
の仕事がよく知られている。
> **ポストモダニズム**：1970年代から80年代にかけて、アメリカを中心に流行した
文化運動。最初は建築用語として使われたが、その後さまざまな分野に飛び火して
いった。哲学でそれを表現したのは、1979年にリオタールが出版した『ポストモ
ダンの条件』である。
> **ヘイドン・ホワイト**：20-21世紀のアメリカの歴史家、文芸批評家。1973年に『メ
タヒストリー』を出版して、歴史への新たな視点を提示し、注目された。ポストモ
ダンが流行した時期と重なり、ポストモダン的な歴史論と理解された。

歴史は二度くりかえされる。一度目は悲劇として、二度目は喜劇として

　歴史がくりかえされることは、古くから何度も語られてきました。古代ギリシア時代の歴史家**ツキジデス***がすでに述べています。これについて、もう少しひねった言い方として、**マルクス***が**ヘーゲル***を引用しながら語っています。

　　ヘーゲルはどこかで〔『歴史哲学講義』で〕、すべての世界史的な大事件や大人物はいわば二度あらわれる、と言っている。だが、こう付け加えるのを忘れた。一度は悲劇として、もう一度は茶番として、と。[(9)]

　マルクスが典拠を示さずに引用しているのは、ヘーゲルの『歴史哲学講義』のなかの文章ですが、一般にはヘーゲルがそこで何を書いているか、あまり注目されません。ところが、その箇所を確認すると、マルクスの文章と密接に重なっているのが分かります。ヘーゲルは次のように語っていたのです。

　　そもそも国家の大変革というものは、それが二度くりかえされるとき、いわば人びとに正しいものとして公認されるようになるのです。ナポレオンが二度敗北したり、ブルボン家が二度追放されたりしたのも、その例です。最初はたんなる偶然ないし可能性と思えていたことが、くりかえされるこ

とによって、たしかな現実となるのです。[10]

　ヘーゲルは、二度の出来事を「可能性」と「現実性」という対概念で理解しています。最初は可能性と思えたものが、二度目は現実性として認識される、というわけです。この時例とされているのが、「ナポレオンが二度敗北した」出来事です。ヘーゲルのこの箇所を読みながら、マルクスはナポレオン1世と3世の関係を、悲劇と茶番としてツッコミを入れたのです。

　こうした対比に、はたしてどれほど意味があるかは別にして、マルクスがヘーゲルの歴史観にかなり密着していたのは、間違いありません。というのも、同じ本の中で、マルクスはまた、ヘーゲルが語った有名な文言「ここがロドスだ、ここで跳べ」を引用しているからです。もともとは『イソップ物語』の寓話を、ヘーゲルは『法の哲学』の序文で取り上げ、個人が生きている歴史的な時代を超えられない、と力説したのです。

>**ツキジデス**：紀元前 5 –前 4 世紀の古代ギリシアの歴史家。ペロポネソス戦争の歴史的記述を行なった『戦史』は、ヘロドトスの『歴史』と対比されるが、未完に終わっている。
>**カール・マルクス**：Basic 51 を参照
>**ゲオルク・ヴィルヘルム・フリードリヒ・ヘーゲル**：Basic 24 を参照

　　Part 3　正解のない世界を生きる

歴史の終わりは動物化である？

「歴史の終わり」という言葉が、一般的に注目されるようになったのは、アメリカの政治哲学者である**フランシス・フクヤマ***が1989年に「歴史の終わりか？」という論文を発表してからです。その数年後に、フクヤマは書物として『歴史の終わり』を発表しますが、インパクトの大きさは、論文の方にありました。というのも、論文は「ベルリンの壁の崩壊」以前に発表されていて、すでに共産主義体制の崩壊を予言していたからです。この時フクヤマが想定した共産主義崩壊以後の世界が、「歴史の終わり」と呼ばれています。

しかし、フクヤマが語った「歴史の終わり」という言葉は、しばしば誤解されています。「共産主義が崩壊したところで、歴史は続くだろう！人類が滅亡するわけでもないのに、歴史が終わるはずがない」という具合に、です。そこで、そもそも「歴史の終わり」とはどういうことか、理解しておく必要があります。

この言葉は、ロシアから亡命していた**アレクサンドル・コジェーヴ***が、1930年代にフランスで行なったヘーゲル哲学講義に由来しています。彼は、「歴史」というものを、「主人と奴隷の対立」からはじまる、階級的な対立の歴史と見ています。そのため、社会の中で階級的な対立が終われば、「歴史が終わる」ことになります。

> 歴史は主と奴との相違、対立が消失するとき、もはや奴をもたぬために、主が主であることをやめるとき、そしてもはや主をもたぬために奴が奴であることをやめ──さらには──もはや奴がいない以上新たに主にもならぬとき、歴史は停止する。(11)

　こうした対立の終わりを、フクヤマは自由民主主義と共産主義の対立が解消された時、と見なしたのです。**そのため、共産主義が崩壊すれば、世界中が自由民主主義一色となり、対立がすべてなくなって、「歴史が終わる」と考えたのです。**

　この歴史の終わりにかんして、もう一つ確認しておくべきは、「歴史の終わり」が「人間の終わり」とも考えられていることです。というのは、コジェーヴが「主人と奴隷の出現に帰着した最初の闘争とともに、人間が生まれ、歴史が始まった」と語っているからです。つまり、主人と奴隷の対立である「歴史」は、「人間」の歴史でもあるわけです。したがって、「歴史の終わり」は同時に「人間の終わり」でもあるのです。

　具体的に「人間の終わり」とは何を意味するのか？　また、現代は本当に、「歴史の終わりなのか」？　これについて、紋切り型の批判をする前に、そもそも「人間の終わり」や「歴史の終わり」が何を意味するのか、理解しておく必要があるのではないでしょうか。

＞ **フランシス・フクヤマ**：20-21世紀のアメリカの政治学者。冷戦の終結を予言した論文によって注目され、その後1992年に『歴史の終わり』を書いて、新しい時代のはじまりとその意義を知らしめた。

＞ **アレクサンドル・コジェーヴ**：Basic 88を参照

注 記

Part 1

Introduction

(1) ジャック・デリダ『グラマトロジーについて〈上・下〉』足立和浩訳、現代思潮新社、2012 年

(2) イマヌエル・カント『純粋理性批判〈上・中・下〉』原佑訳、平凡社ライブラリー、2005 年

(3) トマス・ネーゲル『哲学ってどんなこと？──とっても短い哲学入門』岡本裕一朗、若松良樹訳、昭和堂、1993 年

(4) アリストテレス『形而上学〈上〉』出隆訳、岩波文庫、1959 年

(5) G. ドゥルーズ、F. ガタリ『哲学とは何か』財津理訳、河出文庫、2012 年

(6) モーリス・メルロ゠ポンティ『知覚の現象学〈1・2〉』竹内芳郎、小木貞孝訳、みすず書房、1967 年

(7) J-P. サルトル『実存主義とは何か』伊吹武彦、海老坂武、石崎晴己訳、人文書院、1996 年

(8) L. ウィトゲンシュタイン『ウィトゲンシュタイン全集 8 哲学探究』鬼界彰夫訳、大修館書店、1976 年

(9) A. N. ホワイトヘッド『過程と実在〈1・2〉──コスモロジーへの試論』平林康之訳、みすず書房、1981 年

(10) ライプニッツ『人間知性新論』米山優訳、みすず書房、2018 年

(11) ユルゲン・ハーバーマス『ポスト形而上学の思想』藤澤賢一郎、忽那敬三訳、未來社、1990 年

Chapter 1

(1) マルティン・ハイデッガー『ハイデッガー全集〈第 27 巻〉哲学入門』茅野良男、ヘルムート・グロス訳、東京大学出版会、2021 年

(2) イマヌエル・カント『カント全集〈17〉論理学・教育学』坂部恵、有福孝岳、牧野英二編、湯浅正彦、井上義彦、加藤泰史訳、岩波書店、2001 年
イマヌエル・カント『純粋理性批判〈上・中・下〉』原佑訳、平凡社ライブラリー、2005 年

(3) ルネ・デカルト『省察』山田弘明訳、ちくま学芸文庫、2006 年

(4)　パスカル『パンセ』（ブランシュヴィック版 §199）前田陽一、由木康訳、中公文庫、1973 年

(5)　アルバート・アインシュタイン、ジグムント・フロイト『ひとはなぜ戦争をするのか』浅見昇吾訳、講談社学術文庫、2016 年

(6)　和辻哲郎『人間の学としての倫理学』岩波文庫、2007 年

(7)　アリストテレス『政治学・家政論〈岩波全集新版第 17 巻〉』内山勝利、中畑正志編、神崎繁編・訳、相澤康隆、瀬口昌久訳、岩波書店、2018 年

(8)　レーヴィット『共同存在の現象学』熊野純彦訳、岩波文庫、2008 年

(9)　プラトン『プロタゴラス』藤沢令夫訳、岩波文庫、1988 年

(10)　Robert B. Brandom, *Making It Explicit: Reasoning, Representing, & Discursive Commitment*, Harvard University Press; Reprint, 1998

(11)　ミシェル・フーコー『言葉と物──人文科学の考古学』渡辺一民、佐々木明訳、新潮社、2020 年

Chapter 2

(1)　アリストテレス『形而上学〈上・下〉』出隆訳、岩波文庫、1959 年

(2)　アリストテレス『心とは何か』桑子敏雄訳、講談社学術文庫、1999 年

(3)　ベーコン『ノヴム・オルガヌム（新機関）』桂寿一訳、岩波文庫、1978 年

(4)　ライプニッツ『人間知性新論』米山優訳、みすず書房、2018 年

(5)　ルネ・デカルト『省察』山田弘明訳、ちくま学芸文庫、2006 年

(6)　デカルト『方法序説』落合太郎訳、岩波文庫、1967 年

(7)　イマヌエル・カント『純粋理性批判〈上〉第二版』原佑訳、平凡社ライブラリー、2005 年

(8)　G. W. F. ヘーゲル『精神現象学〈上〉』熊野純彦訳、ちくま学芸文庫、2018 年

(9)　パース「プラグマティシズムの問題点」『パース・ジェイムズ・デューイ〈世界の名著 48〉』上山春平、山下正男、魚津郁夫訳、中央公論社、1968 年

(10)　マイケル・ポランニー『暗黙知の次元』高橋勇夫訳、ちくま学芸文庫、2003 年

(11)　トーマス・クーン『科学革命の構造』中山茂訳、みすず書房、1971 年

(12)　N. R. ハンソン『科学的発見のパターン』村上陽一郎訳、講談社学術文庫、1986 年

(13)　カール・R. ポパー著、M. A. ナッターノ編『フレームワークの神話』、ポパー哲学研究会訳、未來社、1998 年

(14)　ハンス・アルバート『批判的理性論考』萩原能久訳、御茶の水書房、

1985 年

Chapter 3

(1)　和辻哲郎『人間の学としての倫理学〈岩波全書 19〉』岩波書店、1934 年
(2)　バーナード・ショー『人と超人：ピグマリオン』堺利彦訳、丙午出版社、1924 年
(3)　J. S. ミル『自由論』木村健康訳、岩波文庫、1971 年
(4)　プラトン『国家〈上〉』藤沢令夫訳、岩波文庫、1979 年
(5)　ニーチェ『道徳の系譜学』中山元訳、光文社古典新訳文庫、2009 年
(6)　ベンサム「道徳および立法の諸原理序説」山下重一訳『ベンサム、J. S. ミル〈世界の名著 38〉』関嘉彦責任編集、中央公論社、1967 年
(7)　イマヌエル・カント『実践理性批判』波多野精一、宮本和吉、篠田英雄訳、岩波文庫、1979 年
(8)　アリストテレス『ニコマコス倫理学〈上・下〉』渡辺邦夫、立花幸司訳、光文社古典新訳文庫、2015 年
(9)　フリードリッヒ・ニーチェ『権力への意志〈下〉』原佑訳、ちくま学芸文庫、1993 年
(10)　A. J. エイヤー『言語・真理・論理』吉田夏彦訳、ちくま学芸文庫、2022 年

Chapter 4

(1)　パスカル『パンセ』前田陽一、由木康訳、中公文庫、1973 年
(2)　ラッセル『ラッセル幸福論』安藤貞雄訳、岩波文庫、1991 年
(3)　アラン『幸福論──若い人のための人生論 2〈現代教養文庫 532〉』宗左近訳、社会思想社、1965 年
(4)　C. ヒルティ『幸福論（第一部）』草間平作訳、岩波文庫、1961 年
(5)　アリストテレス『ニコマコス倫理学〈上・下〉』渡辺邦夫、立花幸司訳、光文社古典新訳文庫、2015 年
(6)　『カント全集〈7〉実践理性批判・人倫の形而上学の基礎づけ』坂部恵、伊古田理、平田俊博訳、岩波書店、2000 年
(7)　ニーチェ『善悪の彼岸』中山元訳、光文社古典新訳文庫、2009 年
(8)　ニーチェ『悲劇の誕生』秋山英夫訳、岩波文庫、1966 年
(9)　フロイト『幻想の未来／文化への不満』中山元訳、光文社古典新訳文庫、2007 年
(10)　ミシェル・フーコー「生存の美学」増田一夫訳『フーコー・コレクション〈5〉性・真理』小林康夫、石田英敬、松浦寿輝編、ちくま学芸文庫、2006 年

(11) カミュ『シーシュポスの神話』清水徹訳、新潮文庫、1969 年

(12) ロバート・ノージック『アナーキー・国家・ユートピア――国家の正当性とその限界』嶋津格訳、木鐸社、1985 年

(13) エピクロス『エピクロス――教説と手紙』C. Bailey 編、出隆、岩崎允胤訳、岩波文庫、1959 年

Part 2

Chapter 5

(1) ウルリッヒ・ベック『〈私〉だけの神――平和と暴力のはざまにある宗教』鈴木直訳、岩波書店、2011 年

(2) アリストテレス『形而上学〈上・下〉』出隆訳、岩波文庫、1959 年

(3) イマヌエル・カント『純粋理性批判〈上・中・下〉』原佑訳、平凡社ライブラリー、2005 年

(4) フォイエルバッハ『キリスト教の本質』船山信一訳、岩波文庫、1965 年

(5) マルクス『ユダヤ人問題に寄せて／ヘーゲル法哲学批判序説』中山元訳、光文社古典新訳文庫、2014 年

(6) ニーチェ『ツァラトゥストラはこう言った〈上・下〉』氷上英廣訳、岩波文庫、1967 年

(7) ニーチェ『権力への意志〈上・下〉』原佑訳、ちくま学芸文庫、1993 年

(8) リチャード・ドーキンス『神は妄想である――宗教との決別』垂水雄二訳、早川書房、2007 年

(9) ダニエル・C. デネット『解明される宗教――進化論的アプローチ』阿部文彦訳、青土社、2010 年

(10) ヴィトゲンシュタイン『確実性の問題／断片〈ヴィトゲンシュタイン全集9〉』黒田亘、菅豊彦訳、大修館書店、1975 年

(11) E. L. ゲティア「正当化された真なる信念は知識だろうか」柴田正良訳『知識という環境〈リ・アーカイヴ叢書〉』森際康友編、名古屋大学出版会、2022 年

Chapter 6

(1) デカルト『方法序説・情念論』野田又夫訳、中公文庫、2019 年

(2) イマヌエル・カント『純粋理性批判〈上・中・下〉』原佑訳、平凡社ライブラリー、2005 年

(3) ショーペンハウアー『意志と表象としての世界〈Ⅲ〉』西尾幹二訳、中公クラシックス、2004 年

(4) ハイデガー『存在と時間〈世界の名著 62〉』原佑、渡辺二郎訳、中央公論社、1971 年

(5) ヴィトゲンシュタイン『論理哲学論考』野矢茂樹訳、岩波文庫、2003 年

(6) マルクス・ガブリエル『なぜ世界は存在しないのか〈講談社選書メチエ 666〉』清水一浩訳、講談社選書メチエ、2018 年

(7) ヤーコプ・フォン・ユクスキュル『動物の環境と内的世界』前野佳彦訳、みすず書房、2012 年

(8) サピア「科学としての言語学の地位（抄）」E. サピア、B. L. ウォーフ他著『文化人類学と言語学』池上嘉彦訳、弘文堂、1995 年

(9) G. W. ライプニッツ『宗教哲学「弁神論」〈上・下〉ライプニッツ著作集第 1 期新装版（6・7）』下村寅太郎、山本信、中村幸四郎、原亨吉監修、佐々木能章訳、工作舎、2019 年

(10) ネルソン・グッドマン『世界制作の方法』菅野盾樹訳、ちくま学芸文庫、2008 年

Chapter 7

(1) マルティン・ハイデッガー『形而上学入門』川原栄峰訳、平凡社ライブラリー、1994 年

(2) 山本光雄編『アリストテレス全集第 17 巻』岩波書店、1972 年

(3) ディオゲネス・ラエルティオス『ギリシア哲学者列伝〈中〉』加来彰俊訳、岩波文庫、1994 年

(4) スティーブン・ピンカー『心の仕組み〈上・下〉』椋田直子訳、ちくま学芸文庫、2013 年

(5) デカルト『哲学原理』山田弘明、吉田健太郎、久保田進一、岩佐宣明訳・注解、ちくま学芸文庫、2009 年

(6) スピノザ『エティカ』工藤喜作、斎藤博訳、中公クラシックス、2007 年

(7) ジャン゠ジャック・ルソー『社会契約論』作田啓一訳、白水社 U ブックス、2010 年

(8) 和辻哲郎『風土——人間学的考察』岩波文庫、1979 年

(9) ロデリック・F. ナッシュ『自然の権利』松野弘訳、ミネルヴァ書房、2011 年

(10) ユルゲン・ハーバーマス『人間の将来とバイオエシックス』三島憲一訳、法政大学出版局、2012 年

Part 3

Chapter 8

(1) 田中美知太郎『ソフィスト』講談社学術文庫、1976 年

(2) パスカル『パンセ』前田陽一、由木康訳、中公文庫、1973 年

(3) ジャンバッティスタ・ヴィーコ『新しい学〈上・下〉』上村忠男訳、中公文庫、2018 年

(4) ピエール・ブルデュー『ディスタンクシオン——社会的判断力批判〈Ⅰ・Ⅱ〉』石井洋二郎訳、藤原書店、2020 年

(5) クロード・レヴィ゠ストロース『構造・神話・労働——クロード・レヴィ゠ストロース日本講演集〈新装版〉』大橋保夫編集、三好郁朗、松本カヨ子、大橋寿美子訳、みすず書房、2008 年

(6) ミシェル・フーコー『知への意志〈性の歴史Ⅰ〉』渡辺守章訳、新潮社、1986 年

Chapter 9

(1) アリストテレス『政治学・家政論〈新版アリストテレス全集 17〉』内山勝利、中畑正志編、神崎繁編・訳、相澤康隆、瀬口昌久訳、岩波書店、2018 年

(2) マルクス／エンゲルス『新編輯版ドイツ・イデオロギー』廣松渉編訳、小林昌人補訳、岩波文庫、2002 年

(3) ジェレミー・ベンサム『道徳および立法の諸原理序説〈上・下〉』中山元訳、ちくま学芸文庫、2022 年

(4) ジル・ドゥルーズ『記号と事件——1972-1990 年の対話』宮林寛訳、河出書房新社、2007 年

(5) ジュディス・バトラー『ジェンダー・トラブル——フェミニズムとアイデンティティの攪乱』竹村和子訳、青土社、2018 年

(6) J-P. サルトル『実存主義とは何か〈増補新装版〉』伊吹武彦、海老坂武、石崎晴己訳、人文書院、1996 年

Chapter 10

(1) パスカル『パンセ』前田陽一、由木康訳、中公文庫、1973 年

(2) ヘーゲル『歴史哲学講義〈上〉』長谷川宏訳、岩波文庫、1994 年

(3) カール・マルクス『経済学批判』武田隆夫、遠藤湘吉、大内力、加藤俊彦訳、岩波文庫、1956 年

(4) クロオチェ『歴史の理論と歴史』羽仁五郎訳、岩波文庫、1952 年

(5) E. H. カー『歴史とは何か』清水幾太郎訳、岩波新書、1962 年

(6)　ミシェル・フーコー「ニーチェ、系譜学、歴史」伊藤晃訳『フーコー・コレクション〈3〉言説・表象』小林康夫、石田英敬、松浦寿輝編、ちくま学芸文庫、2006 年

(7)　ハイデガー『存在と時間〈世界の名著 62〉』原佑、渡辺二郎訳、中央公論社、1971 年

(8)　アーサー・C. ダントー『物語としての歴史——歴史の分析哲学』河本英夫訳、国文社、1989 年

(9)　カール・マルクス『ルイ・ボナパルトのグリコメール 18 日』丘沢静也訳、講談社学術文庫、2020 年

(10)　ヘーゲル『歴史哲学講義〈上・下〉』長谷川宏訳、岩波文庫、1994 年

(11)　アレクサンドル・コジェーヴ『ヘーゲル読解入門——「精神現象学」を読む』上妻精、今野雅方訳、国文社、1987 年

【著者紹介】
岡本裕一朗（おかもと　ゆういちろう）

玉川大学 名誉教授
1954年福岡県生まれ。九州大学大学院文学研究科哲学・倫理学専攻修了。博士（文学）。九州大学助手、玉川大学文学部教授を経て、2019年より現職。西洋の近現代哲学を専門とするが興味関心は幅広く、哲学とテクノロジーの領域横断的な研究をしている。著書『いま世界の哲学者が考えていること』（ダイヤモンド社）は、21世紀に至る現代の哲学者の思考をまとめあげベストセラーとなった。他の著書に『フランス現代思想史』（中公新書）、『12歳からの現代思想』（ちくま新書）、『モノ・サピエンス』（光文社新書）、『ヘーゲルと現代思想の臨界』（ナカニシヤ出版）など多数。

哲学100の基本

2023年1月5日　第1刷発行
2023年2月1日　第2刷発行

著　者——岡本裕一朗
発行者——田北浩章
発行所——東洋経済新報社
　　　　　〒103-8345　東京都中央区日本橋本石町1-2-1
　　　　　電話＝東洋経済コールセンター　03(6386)1040
　　　　　https://toyokeizai.net/

装　丁……………………井上新八
本文デザイン・図版作成……高橋明香（おかっぱ製作所）
ＤＴＰ……………………アイランドコレクション
印　刷……………………港北メディアサービス
製　本……………………積信堂
編集協力…………………パプリカ商店
編集担当…………………宮﨑奈津子